D0809953

FAIRE SON TESTAMENT SOI-MÊME

Couverture

- Conception graphique:
  Katherine Sapon
- Photo:
  Maryse Raymond

Le papier (à lettres et fait à la main)
a été gracieusement prêté par la
Papeterie Saint-Arnaud

DISTRIBUTEURS EXCLUSIFS:

- Pour le Canada:
  AGENCE DE DISTRIBUTION POPULAIRE INC.*
  955, rue Amherst, Montréal H2L 3K4 (tél.: 514-523-1182)
  * Filiale de Sogides Ltée

- Pour la France et l'Afrique:
  INTER FORUM
  13, rue de la Glacière, 75013 Paris (tél.: (1) 43-37-11-80)

- Pour la Belgique, le Portugal et les pays de l'Est:
  S. A. VANDER
  Avenue des Volontaires, 321, 1150 Bruxelles
  (tél.: (32-2) 762.98.04)

- Pour la Suisse:
  TRANSAT S.A.
  Route des Jeunes, 19, C.P. 125, 1211 Genève 26
  (tél.: (22) 42.77.40)

FAIRE SON TESTAMENT SOI-MÊME

Me GÉRALD POIRIER, NOTAIRE
MARTINE NADEAU LESCAULT

Données de catalogage avant publication (Canada)

Poirier, Gérald

Faire son testament soi-même

ISBN 2-7619-0727-2

1. Testaments - Québec (Province) - Ouvrages de vulgarisation. 2. Testaments olographes - Québec (Province) - Ouvrages de vulgarisation. 3. Successions et héritages - Québec (Province) - Ouvrages de vulgarisation. I. Nadeau Lescault, Martine. II. Titre.

KEQ353P76 1987 346.71405'4 C87-096422-4

Bibliothèque nationale du Québec
Dépôt légal — 4e trimestre 1987

ISBN 2-7619-0727-2

Avant-propos de la nouvelle édition

Il existe plusieurs causes de décès, mais le testament n'en est pas une.

Comment jugerions-nous «Monsieur Sanstestament» qui écrirait ses dernières volontés de la façon suivante:

TESTAMENT DE MONSIEUR SANSTESTAMENT

Je, soussigné, n'étant pas tellement convaincu de l'utilité de tester, ne fais pas de testament.

Il n'est pas nécessaire que j'annule mes testaments antérieurs puisque je n'en ai jamais fait.

Je m'en remets à la loi qui ne connaît pas ceux de mes parents et amis qui me sont les plus chers et qui n'hériteront de rien.

Je lègue à mon conjoint et à mes enfants le meilleur souvenir possible. Mon conjoint héritera du tiers de mes biens et le reste ira à mes enfants. Comme nous sommes mariés en société d'acquêts sans contrat de mariage, mon conjoint aura la faculté de choisir entre le tiers de mes biens que je lui lègue ou la moitié des biens de la société d'acquêts selon qu'il jugera le mieux.

Quant à l'administrateur qui s'occupera des biens de mes enfants mineurs, je laisse à la loi le soin de lui attacher les deux mains. J'espère que ce sera une personne fiable et intègre car je ne sais pas qui sera choisi. Peu m'importe que le règlement de ma succession soit long et ardu, je ne veux pas me donner la peine de faire un testament, mais je souhaite que les frais ne soient pas trop élevés.

Je mise sur le fait qu'un testament est un document confidentiel et qu'il ne sera lu qu'après mon décès: cela m'évitera d'entendre tous ces reproches et sarcasmes qu'on pourrait m'adresser.

Et je ne signe pas de peur d'être reconnu.

Malgré son ton sarcastique, ce testament ou plutôt cette absence de testament représente une situation trop fréquente qui engendre des règlements de successions longs et ardus.

Nous avons de la difficulté à comprendre ce fait pourtant bien réel: il y aura toujours des êtres inconscients. On assure sa maison contre les incendies, on possède une assurance-automobile, on fait généralement très attention à ses biens matériels et à leur conservation, on s'attache parfois même à ceux-ci, mais on néglige pourtant de prévoir leur répartition en cas de décès.

Pourquoi ne pas montrer de façon concrète un peu d'estime pour ses proches en réglant le problème testamentaire?

Cette nouvelle édition du volume, rendue nécessaire par quelques changements à la loi, apportera peut-être un brin de courage ou de motivation et, nous l'espérons, convaincra le lecteur de la nécessité de faire son testament.

Aujourd'hui, le consommateur est curieux et il n'hésite pas à poser des questions aux notaires, avocats, comptables, médecins, dentistes et autres professionnels et spécialistes. Son intérêt mérite qu'on lui réponde le plus clairement possible. Dans ce livre, nous traitons de la situation testamentaire et successorale, mais il nous est évidemment impossible de parler de toutes les situations particulières qui peuvent exister. Pour trouver une solution à un problème personnel, le consommateur devra faire des recherches personnelles dans une bibliothèque, ou une étude légale par exemple. Quelquefois, les renseignements demandés ne seront pas gratuits.

1.

Introduction

La loi est considérée par le citoyen moyen comme un domaine où il ne fait pas bon s'aventurer. Il est vrai que dans ce domaine difficile à comprendre, seuls les spécialistes s'y retrouvent. Alors même qu'il a obtenu tous ses diplômes requis en droit, l'avocat ou le notaire frais émoulu de l'université se doit d'être prudent; c'est au fil des années que le juriste acquerra l'esprit juridique indispensable à la compréhension de toutes les lois, souvent présentées comme un véritable labyrinthe.

Alors, comment peut-on demander au citoyen moyen de s'y retrouver? Est-ce une utopie? Non, mais à condition de bénéficier d'une approche si vulgarisée du sujet qu'il puisse s'y retrouver sans trop de peine.

En ce qui concerne le testament, il s'agira de le lui présenter de façon simple et positive. Mais qu'y a-t-il de plus personnel qu'un testament et comment peut-on à ce point vulgariser, démystifier ce sujet afin de le rendre intéressant pour le citoyen québécois?

Le présent ouvrage s'adresse précisément au citoyen moyen qui y trouvera un condensé de tout ce qu'une personne doit savoir pour faire son testament, et ce dans un langage accessible quelle que soit sa formation. Bien que ce livre ne soit pas un traité de droit, beaucoup de juristes auront sûrement intérêt à prendre connaissance d'une nouvelle approche de la matière.

Le citoyen verra par lui-même comment une santé morale est tout aussi désirable qu'une santé physique, comment le règlement d'une question aussi importante que le testament peut procurer aussi bien au testateur qu'à son conjoint, ou à ses enfants le cas échéant, cette tranquillité d'esprit si nécessaire à l'épanouissement du couple et de la famille.

Face à la tâche testamentaire, le consommateur québécois prend souvent panique, alors qu'en réalité ce problème n'en est même pas un. Le législateur a toujours mis à la disposition du citoyen tous les moyens légaux pour que ce dernier puisse trouver sa solution testamentaire.

Le rappel de quelques notions historiques, dans cette introduction à l'étude des testaments et des successions, placera le lecteur dans le contexte requis pour la compréhension du présent volume. Il n'y a pas si longtemps, tous les villages québécois possédaient trois notables presque tout-puissants: monsieur le Notaire, le Docteur (médecin) et le Curé. Ainsi, quand «Baptiste», revenant de chez le notaire, se fit demander par sa vieille de lui raconter ce que celui-ci lui avait dit, il répondit:

«Oh! Il m'a dit que nous sommes propriétaires de la maison, que notre hypothèque est «bien correcte» et de ne pas nous en faire; il m'a lu un contrat, je n'y ai rien compris et j'ai signé où il m'a dit de signer. Je ne sais pas exactement ce que j'ai signé, mais de toute façon le notaire m'a dit de ne pas nous inquiéter.»

Le lendemain, le même «Baptiste» se rendit chez le «Docteur». En revenant, il dit à sa «vieille»:

«Le docteur m'a donné des pilules, et je lui ai demandé à quoi elles servaient. Il m'a répondu:

— Écoute Baptiste, prends ces pilules, ne pose pas de questions et ne te fais pas de souci. Tu vas guérir et tu n'auras aucun trouble.»

La veille du premier vendredi du mois, toujours le même «Baptiste» se rendit à confesse chez son curé. Il était quelque peu sceptique relativement à certains problèmes religieux qui le tracassaient beaucoup et devant ses nombreuses questions, le curé lui donna comme pénitence d'aller réciter une dizaine de chapelet à genoux à la balustrade de l'église, en lui recommandant:

«Prie pour avoir la foi.

— Monsieur le Curé, la foi, c'est quoi ça exactement?

— La foi, ça veut dire la grâce de croire sans poser de questions.»

Ces trois exemples quelque peu simplifiés permettent de comprendre la mentalité du temps. On doit tout de même admettre que le notaire, le médecin et le curé étaient pratiquement les seules personnes du village qui savaient lire et écrire. Il ne faut donc pas s'étonner que leur parole n'ait pas été mise en doute et qu'ils aient joui d'une grande influence. Agissaient-ils ainsi intentionnellement, pour garder un certain prestige soit notarial, soit médical, soit ecclésiastique, ou la population n'était-elle tout simplement pas capable d'en comprendre plus long? Au lecteur d'en juger, mais un fait demeure bien certain: ces trois notables se sont bien gardés de renseigner leurs clients et, sur leur piédestal, ils ont joui d'un pouvoir de décision quasi absolu sur la vie de nos chers campagnards.

Pour ce qui est de la question testamentaire, admettons qu'on a toujours informé le citoyen qu'il avait le choix entre un testament notarié ou entièrement rédigé de sa propre main (olographe) ou encore signé devant deux témoins. C'est du moins le message que lui ont transmis depuis toujours tous les médias d'information, à savoir la télévision, la radio et les journaux. Mais ce contre quoi nous nous élevons, c'est que personne n'a voulu lui expliquer, à ce citoyen, comment s'y prendre dans les faits s'il choisissait de faire son testament lui-même, sans l'aide d'un notaire. On s'est contenté de lui dire qu'il pouvait faire le tout à son gré, tout seul; on ne lui a pas dit comment. Nous ne sommes pas si sûrs qu'il soit préférable de posséder un testament, peu importe sa forme, que de n'en point avoir et nous affirmons sans ambages que souvent, mieux vaut n'avoir aucun testament que d'en avoir un «tout croche». Alors, comment s'en sortir? Il serait trop facile de recommander d'aller chez un notaire et de faire un testament notarié; le hic, c'est que pour différents motifs, soit qu'il manque de temps, soit qu'il n'en a pas le goût, soit qu'il n'en a pas les moyens financiers ou tout simplement qu'il est allergique aux notaires; à tort ou à raison, le citoyen refuse souvent de se rendre chez un notaire.

Ce fait, il faut le déplorer, mais il existe. Ainsi les Québécois, en grande majorité, ne possèdent pas de testament. Voilà pourquoi nous voulons ici vulgariser et démystifier le testament à un point tel que le citoyen, pour régler son problème testamentaire, puisse choisir lui-même la solution, lorsqu'il connaîtra toutes les possibilités qui s'offrent à lui. On peut faire un testament notarié, un testament olographe ou un testament sous la forme anglaise (deux témoins); mais il ne faut pas oublier qu'on peut tout simplement ne faire aucun testament et laisser la loi décider pour nous. Parce que c'est la loi qui décide à la place du citoyen, cela ne veut pas dire que les conséquences seront nécessairement fâcheuses.

C'est pourquoi dans ce volume consacré à la démystification du testament, nous avons voulu renseigner le lecteur de manière à le mettre en mesure de régler son problème testamentaire conformément aux dispositions de la loi. Tous les sujets qui y seront traités le seront de façon que le citoyen moyen puisse s'y retrouver sans peine.

2.

Quelques statistiques

Il a été dit que tout le monde doit ou devrait se rendre chez le notaire afin de régler son problème testamentaire; mais dans les faits, que s'est-il produit depuis l'existence du Code civil en 1867? Quelles statistiques consulter pour savoir combien de citoyens québécois majeurs ont fait leur testament, soit par un acte purement testamentaire (testament), soit par une clause testamentaire en contrat de mariage?

Le principal document auquel on peut se référer est le Registre central des testaments de la Chambre des notaires qui existe depuis 1961. La Chambre des notaires aurait reçu depuis la création de ce Registre, soit au cours des vingt-six dernières années, plus de deux millions d'inscriptions testamentaires. Si, de ces deux millions d'inscriptions, l'on retranche les différents testaments d'un même individu, les codicilles et les révocations de testament, on en arrive à évaluer le nombre réel d'inscriptions à environ 1,5 million. Nous avons établi ce nombre au meilleur de notre connaissance, mais nous n'avons aucun moyen de vérifier son exactitude. Eu égard à la population du Québec, nous constatons que si nos calculs sont justes, la proportion de personnes ayant fait leur testament notarié est très minime.

À quoi ont servi alors toutes les campagnes publicitaires au sujet des testaments et pourquoi cette si petite proportion? L'examen de conscience personnel de chaque citoyen lui apportera sa propre réponse.

Mais il existe un autre document incontestable: le rapport annuel de la Chambre des notaires du Québec pour la période comprise entre le 1er avril 1986 et le 31 mars 1987. D'après ce document, il y a eu 134 702 inscriptions enregistrées au Registre des testaments de la Chambre des notaires. Prenons pour acquis que ces inscriptions représentent en très grande majorité des testaments notariés. Comme au 31 mars 1987 il y avait au Québec 2 937 notaires en exercice, chacun de ceux-ci aurait rédigé une moyenne de 3,82 testaments par mois, y compris les codicilles, les révocations de testaments et les nouveaux testaments faits par un même individu. Les seules statistiques pertinentes que nous ayons découvertes sont celles publiées dans l'Annuaire du Canada 1985 où on y rapporte que le Québec comptait une population de 4 518 700 habitants ayant vingt ans et plus au 1er juin 1982.

Il n'entre pas dans notre propos de donner ici un cours de mathématiques, mais chaque lecteur peut tirer ses propres conclusions et constater que la proportion des testaments est minime. Par exemple, 134 702 testaments notariés pour une population estimée à près de 5 000 000 (dix-huit ans et plus) représentent un pourcentage de 2,69 p. 100; où sont donc les autres 97,31 p. 100?

Même si l'on tient compte de la quantité de personnes qui avaient déjà un testament, un fait demeure certain: la proportion est infime!

Que font les Québécois qui, en grande majorité, ne possèdent pas de testament? Il y en a sûrement qui ont fait inscrire une clause testamentaire dans leur contrat de mariage, précaution très louable.

Les statistiques de l'année 1985 compilées par le

ministère de la Justice du Québec, direction des enregistrements officiels, démontrent que sur un total de 37 026 mariages tant civils que religieux célébrés au Québec en l'année 1985, 16 544 couples ont fait un contrat de mariage (13 674 en séparation de biens, 22 en communauté de biens et 2 848 en société d'acquêts). De plus, 1 350 autres couples ont décidé de faire un contrat de mariage pour changer leur état matrimonial.

Supposant que la majorité des contrats de mariage contiennent une clause testamentaire, cela ferait autant de testaments de plus mais ce n'est pas cela qui change beaucoup le pourcentage pour une population de 5 000 000.

Il faut aussi compter les testaments cachés, c'est-à-dire ceux faits sous la forme olographe ou sous la forme anglaise (deux témoins). Nous sommes totalement démunis de moyens pour en estimer le nombre. Il reste alors deux autres registres: celui du Barreau, où les avocats qui ont reçu en dépôt un testament sous la forme anglaise ou olographe font l'inscription de tels testaments, et celui de l'Autotestament Inc. où seuls les testaments faits avec cette dernière méthode y sont inscrits; mais ces deux derniers registres sont encore bien récents puisque celui du Barreau n'existe que depuis le 1er décembre 1979 et celui de l'Autotestament depuis le 1er septembre 1980.

Si nous réussissions, par ce livre, à faire augmenter le nombre de testaments au Québec, que ce soit sous la forme notariée ou sous une autre forme, nous atteindrions notre but, à savoir l'éducation populaire.

3.

Pourquoi faire un testament?

La loi accorde à toute personne majeure le droit de choisir elle-même ses héritiers. À cette fin, la loi dit: faites votre testament, dites-moi à qui vous voulez que vos biens aillent après votre décès, et vous choisirez ainsi vous-même vos héritiers légaux. Nous verrons plus loin ce qu'on entend par «héritiers légaux» (voir chapitre 5 «Les héritiers légaux» et chapitre 7 «Les décès sans testament»).

Une bonne raison de faire un testament, et non la moindre, c'est l'économie substantielle de temps et d'argent qu'il permettra de réaliser lors du règlement de votre succession. Votre prévoyance facilitera la tâche de vos héritiers lorsqu'ils rencontreront le notaire et simplifiera le règlement de votre succession. Plus le règlement de la succession est complexe, plus les honoraires du notaire risquent d'être élevés. Le contraire entraîne donc automatiquement une économie de temps et d'argent.

Saviez-vous que, si vous mourez sans testament, la loi s'occupe seulement de distribuer vos biens entre les membres de votre famille? Si vous n'avez laissé aucun testament, la loi ne tiendra compte ni de vos alliés ni de vos amis. Et Dieu sait comme certains amis peuvent être plus près de vous que des parents eux-mêmes! La loi connaît vos parents, pas vos amis.

Alors, si vous ne voulez pas que certains de vos parents viennent, comme on dit, se mêler de vos affaires et si vous désirez que certains de vos amis soient récompensés pour tous les services rendus, c'est à vous d'y voir et de faire votre testament. Un testament étant un acte purement personnel, il est normal que la psychologie du testateur, sa façon de vivre, sa pensée et ses goûts y transparaissent. Dans bien des cas, cette personne a déjà transmis une partie de son être, en s'unissant à un partenaire pour donner vie à un nouvel être humain, et le guider depuis sa naissance jusqu'à l'âge adulte. Si elle n'a pas laissé de descendance, elle a sans doute transmis sa philosophie de la vie à ses proches ou à ses disciples.

Dès sa jeunesse, tout être humain note par écrit ses traits de caractère, ses goûts et ses pensées. Quel bambin ou bambine n'a pas possédé son livre personnel où tous ses petits amis étaient invités à écrire une pensée, un souhait ou quelque réflexion?

Qui a oublié ses rêves d'adolescent dans lesquels il planifiait son avenir, s'imaginait ses succès futurs et ses aventures amoureuses? Ces pensées étaient souvent inscrites dans un journal conservé précieusement à l'abri des curieux.

Ainsi commence le long parcours de la vie parsemé de joies mais aussi de difficultés quasi insurmontables. Une fois adulte, l'être humain connaît de nombreuses satisfactions mais il se rend compte bien vite qu'il lui faut constamment lutter pour conserver ce qu'il a si chèrement acquis.

Une fois les obligations assumées, la famille formée, l'individu doit voir à la protection matérielle de ses proches et à la survivance intellectuelle dans la transmission de ses biens. C'est cette transmission intellectuelle, ce transfert des goûts personnels qu'on traduit par un acte communément appelé acte de dernière volonté, le testament.

Pour certaines personnes, il est très important de faire un testament, pour d'autres non. À la veille du troisième âge, au moment où tout être humain réalise qu'après avoir gravi la «pente», il doit entamer la courbe descendante, les plaisirs de la vie, l'apanage des réussites, la satisfaction du devoir accompli, et quelquefois les vieilles rancunes, deviennent autant de raisons de transmettre l'enseignement de ses expériences.

Il y a dans la vie différentes façons de courtiser quelqu'un. Qu'arrive-t-il lorsque les héritiers présomptifs se mettent à poliment courtiser le testateur? Celui-ci peut en venir à faire un testament en cédant aux instances d'un héritier en puissance, ou encore en subissant l'influence d'un être qu'il admire au point d'en emprunter la philosophie, d'en suivre l'exemple ou les suggestions. Le seul fait de parler du testament suffit parfois à rapprocher des enfants jusqu'alors occupés à vivre leur propre vie, ou un conjoint devenu avec les années un peu indifférent!

Un testament peut se révéler l'instrument par lequel le testateur assume ses responsabilités et s'acquitte de dettes contractées parfois bien des années auparavant.

Certains testateurs s'ingénient à trouver le moyen de rendre la monnaie de leur pièce à de présumés «amis parents-héritiers présomptifs» qui eux aussi se sont évertués à faire de la «misère»: ils les déshéritent, les punissent financièrement, pour avoir le dernier mot à leur façon. Y a-t-il en effet une meilleure façon d'avoir le dernier mot qu'en disant effectivement le mot qui sera le dernier? C'est le testament qui prononcera ce dernier mot et leur permettra de mettre un terme aux relations qui leur avaient été imposées, ou de se venger de relations décevantes, détériorées, voire blessantes.

Des relations entre testateur et héritiers dépend le souvenir que ces derniers garderont du caractère du testateur, exécrable pour les uns et inoubliable pour d'autres, selon qu'ils auront ou non hérité. À vous de décider. C'est tout de même une façon de survivre après votre décès...

Examen de conscience

D'aucuns se rappellent le temps du collège alors qu'on nous faisait faire notre examen de conscience. On voulait simplement nous faire prendre conscience de la réalité. Le but était religieux, certes, mais on peut encore faire notre propre examen de conscience, dans un but matériel cette fois.

Essayons de faire un examen de conscience au point de vue testamentaire, au point de vue succession. Ce ne peut être que louable de penser à nos proches, à nos amis, à tout ce que nous avons construit à force de labeur.

Procédons par tableaux puisque c'est un examen de conscience. Lisons, puis pensons...

Sans testament

1. DU VIVANT

a) Tension morale du testateur qui n'a pas le courage de régler son problème.

b) Tension morale du conjoint.

c) Tension morale des héritiers présomptifs.

d) Tension morale des courtisans!

e) Il faut noter qu'il ne faut pas seulement penser au couple, puisqu'il faut aussi tenir compte des autres membres de la famille.

2. AU DÉCÈS

a) Complications du règlement de la succession.

b) Héritiers lésés.

c) Conjoint et enfants laissés avec des problèmes possibles.

Avec un testament

1. DU VIVANT

a) Tranquillité d'esprit du testateur.
b) Tranquillité d'esprit du conjoint.
c) Rapprochement du conjoint.
d) Rapprochement des enfants.

2. AU DÉCÈS

a) Reconnaissance — surprises — souvenirs.
b) Règlement facile de la succession et, partant, économie de temps et d'argent.

Les raisons pour lesquelles on refuse de faire un testament

1. On prend panique face à cette «tâche».
2. On n'a pas peur de prendre une assurance-vie, mais on a peur du testament.
3. Il peut y avoir de l'immaturité, mais pensons que les problèmes ne se règlent pas d'eux-mêmes.
4. On personnifie ses biens.
5. On a l'impression de donner ses biens tout de suite.

Remarques générales

1. Faire un testament procure cette tranquillité d'esprit tant recherchée.
2. Il faut comprendre qu'après le décès, on sera physiquement inexistant. Alors, il ne faut pas tenter de survivre après le décès ni s'imaginer qu'on continuera de gérer soi-même ses biens.

3. Humanisme: beaucoup d'individus sont des testateurs en puissance et bon nombre d'entre eux sont financièrement très à l'aise. Il est alors très fréquent que ces individus aient beaucoup d'idées très humanitaires pour faire leur testament. On rêve de projets grandioses qu'on n'arrive pas à mettre sur papier: fondations, centres d'accueil, instituts philanthropiques et humanitaires, etc. Si tous ces beaux projets étaient mis à exécution, si l'individu se décidait à les créer dans son testament, la province de Québec ne serait pas assez grande pour les loger tous. Mais voilà, ce sont ceux qui ont les plus beaux projets humanitaires qui décèdent sans testament!

Vous avez le choix entre les différentes méthodes de faire un testament, alors allez-y!

Le mot «testament» a-t-il un féminin?

Au Québec, on est traditionnellement porté à croire que le testament ne concerne que les hommes. Le temps est maintenant révolu où seuls les hommes pensaient au bien-être matériel de la famille et à la transmission des biens.

Il n'y a pas si longtemps, la femme n'avait pas droit de parole. Cependant, dans l'intimité du foyer, n'était-ce pas elle qui prenait des décisions importantes que le mari énonçait au grand jour? C'est ce qui arrivait souvent au sujet du testament. Combien de fois a-t-on vu les Québécois se présenter chez le notaire «parce que ma femme veut absolument qu'on fasse un testament».

À notre époque, la femme prend de plus en plus ses responsabilités, notamment dans le domaine légal. Les Québécoises assument des responsabilités accrues dans tous les domaines, d'où l'importance pour elles d'être à la fine pointe de l'information sur la façon de mettre de l'ordre dans leurs papiers afin de vivre dans la tranquillité d'esprit. Il est temps qu'elles pensent elles aussi à la question testamentaire.

Beaucoup se font du souci à propos de leur succession ou de la transmission de leurs biens en cas de décès. Les femmes qui contribuent financièrement au bien-être des leurs ou qui se retrouvent à la tête d'une famille monoparentale vivent ces inquiétudes de façon très intense. Qu'arrivera-t-il des biens qu'elles auront accumulés à force de travail? Quant à celles qui vivent en union de fait, c'est-à-dire qui demeurent avec un homme sans être mariées avec lui, le Législateur ne prévoit rien pour les protéger sur le plan testamentaire. Si vous désirez hériter de votre conjoint de fait ou faire hériter ce conjoint, il n'y a pas d'autre moyen que de faire un testament qui témoignera de vos volontés. Vous êtes femme, vous avez toutes les capacités pour vous affirmer et tester selon vos désirs.

Et que dire de toutes ces dames veuves, séparées ou divorcées et qui ont des biens à transmettre dans leur succession? Malheureusement, de nos jours encore certaines femmes sont un peu prises de panique face à la tâche testamentaire alors qu'en réalité celle-ci n'est pas insurmontable*. C'est ce qu'elles comprendront facilement grâce à ce livre.

---

*Voir chapitre 19.

4.

Quand faire son testament?

Idéalement, toute personne majeure, c'est-à-dire âgée de plus de dix-huit ans, devrait faire son testament.

On répliquera assurément qu'il est souvent inutile pour un jeune de dix-huit ou dix-neuf ans de faire son testament, car la plupart du temps il ne possède aucun bien. Cette remarque, quoique parfois justifiée, ne l'est cependant pas tout à fait. En effet, beaucoup de jeunes sont sur le marché du travail dès l'âge de dix-huit ans; ils travaillent pour des entreprises respectables, c'est-à-dire des entreprises qui donnent à leurs employés des avantages sociaux, des assurances-groupe accordant des indemnités en cas d'accident ou une indemnité d'assurance-vie en cas de mort accidentelle ou naturelle. De plus, il est de pratique courante aujourd'hui de posséder dans une banque, une caisse populaire ou toute autre institution financière, un compte d'épargne qui comporte souvent une assurance-vie. C'est ce qu'on appelle une assurance-vie épargne qui, la plupart du temps, doublera en cas de décès le montant du compte d'épargne.

Si un jeune travailleur célibataire meurt sans testament, une moitié de ses biens ira à ses parents et l'autre à ses frères et soeurs en parts égales. C'est du moins ce qui arrive dans la plupart des cas lorsque les parents sont encore vivants et qu'aucun frère ou aucune soeur n'est décédé en laissant une postérité, ce qui, bien sûr, compliquerait la situation; dans un tel cas, les biens sont dévolus aux héritiers prévus par la loi.

Une bonne raison pour faire son testament quand on est jeune et bien portant: éviter les contestations. Si une personne décède en laissant un testament qui date d'une dizaine d'années, il est très difficile de prouver un manque de lucidité, mais si elle laisse un testament rédigé durant sa dernière maladie, cela fournira l'occasion à des héritiers mécontents de prétendre que l'auteur du testament n'était pas en possession de toutes ses facultés mentales.

Un jour, un adolescent nous a demandé: «Quelle est cette idée de nous conseiller de faire un testament lorsqu'on est jeune et en santé?» «C'est parce que même lorsqu'on est jeune et en santé, on peut mourir dans un accident!» lui avons-nous répondu.

Nous admettons volontiers que, dans de nombreux cas, le fait qu'un jeune meure sans testament ne crée pas nécessairement de problème, ni de situation désastreuse, mais, et c'est là notre philosophie, il faut, dès sa majorité, inculquer au jeune le sens des responsabilités. De cette façon, il prendra l'habitude de penser de temps à autre à sa situation successorale. On dit que toute personne devrait réviser sa position successorale environ tous les cinq ans. Ce n'est cependant pas une règle absolue.

Bien des gens décident de rédiger leur testament à l'occasion d'événements importants, au moment de prendre de nouvelles responsabilités, par exemple à l'occasion d'un mariage, d'une naissance ou lors de l'acquisition d'un immeuble, d'un commerce ou d'une importante somme d'argent.

Quand devez-vous faire votre testament? Simplement lorsque vous en avez le goût, lorsque vous en sentez la responsabilité, lorsqu'il est encore temps, et surtout pas après votre décès!

S'occuper de ses affaires au lieu de celles du voisin

Il est pénible de constater combien de gens tentent de s'occuper des affaires de leurs voisins au lieu de s'occuper des leurs. Lisez tous les courriers dans les journaux et les revues, et vous serez surpris de constater le nombre effarant de lecteurs qui posent des questions concernant «l'ami de ma soeur», «le second époux de ma mère», «l'enfant terrible de notre voisin», «une personne dont j'ai entendu dire que... ».

Que tous ces courriers tentent de régler le problème personnel du lecteur, c'est très louable et dans les faits ils font beaucoup de bien.

Notre expérience personnelle nous démontre que de nombreux individus consentent à faire leur propre testament en tentant en même temps de régler le testament de leur voisin. Le cas le plus fréquent est celui où un conjoint tente par tous les moyens possibles de trouver un moyen qui empêcherait son conjoint ou ex-conjoint de le déshériter au profit d'un autre individu. On se casse la tête bien inutilement car on ne trouvera jamais de solution.

Il faut s'occuper de son problème, de son testament, et ignorer celui des autres. Il ne faut pas non plus donner ses biens à un légataire en défendant à celui-ci de faire ce qu'il voudra avec ce qu'on lui donne. On ne peut pas donner et «dédonner».

Tout au long de ce livre, le lecteur se rendra compte de l'importance de s'occuper de ses propres affaires et de laisser faire celles des autres. Dans la question testamentaire, s'occuper de ses propres affaires veut dire s'occuper de la transmission de ses propres biens matériels afin de protéger, encourager, remercier, aider des êtres qui nous sont chers lorsque nous serons disparus de cette planète.

5.

Les héritiers légaux

Lors de la passation d'un contrat de mariage, le notaire demande aux futurs époux s'ils comprennent ce que sont les «héritiers légaux». «Oh oui!» s'empresse de répondre le jeune homme, «nous avons justement posé cette question hier à celui qui nous a vendu une police d'assurance-vie. Il nous a alors répondu très clairement: «Les héritiers légaux? Ça c'est ta femme!» Voilà qui est vrai si le contrat de mariage contient une clause testamentaire au «dernier vivant les biens» en faveur de l'épouse, mais le renseignement est tellement incomplet qu'il en devient faux.

Aujourd'hui, avec la formation que nos courtiers d'assurances ont reçue, ils ne répondraient sûrement pas ainsi.

L'expression «héritiers légaux» est la base de toute bonne compréhension des testaments et des successions; nous entendons la vulgariser au point que tout consommateur puisse la comprendre et même l'expliquer sans risque de se tromper. Le défi est de taille, et nous croyons l'avoir relevé.

La loi accorde à toute personne majeure le droit de faire elle-même le choix de ses héritiers. À cette fin, la loi dit: faites votre testament, dites à qui vous voulez léguer vos biens après votre décès, et vous nommerez ainsi vos héritiers légaux. Par exemple, si vous dites: «Je donne tous mes biens à mon épouse», «Je donne tous mes biens à mon ami», «Je donne tous mes biens à une oeuvre de charité», selon le cas, vos héritiers légaux seront «votre épouse», «votre ami», «l'oeuvre de charité» de votre choix. Si vous possédez une assurance-vie payable aux héritiers légaux, cela veut tout simplement dire que la compagnie d'assurances devra prendre connaissance du testament pour connaître vos héritiers légaux.

La question suivante vient automatiquement à l'esprit de tout le monde: «Oui, mais qu'arrive-t-il si je ne fais pas de testament?»

La réponse est simple, car la loi dit: si vous n'indiquez pas qui seront vos héritiers, je devrai le faire à votre place. Quant à savoir quelles personnes hériteraient de vous dans un tel cas, nous affirmons qu'il est totalement impossible à quiconque, qu'il s'agisse de vous-même, d'un notaire, d'un avocat, d'un conseiller technique, financier, juridique ou autre, de pouvoir les nommer à l'avance. En effet, personne n'est en mesure de dire qui seraient alors vos héritiers légaux parce que, et cela est très important, pour le faire, il faudrait que vous-même, en premier lieu, soyez capable de déterminer les personnes qui survivront à votre décès. Comme il est totalement impossible de connaître la date de votre décès, de même il est impossible de savoir qui, parmi vos proches, sera vivant à ce moment-là.

Il est vrai qu'à défaut de testament, la loi prévoit qui seront les héritiers légaux, mais à ce moment-là, elle est obligée de prévoir tous les cas possibles jusqu'au 12e degré*.

Alors, à celui de vos amis qui vous posera des questions, contentez-vous de répondre que les héritiers légaux sont les personnes désignées telles par testament; sans testament, personne ne les connaît; attendez d'être mort et nous verrons à ce moment-là.

---

*Voir chapitre 7.

Vous avez tous compris maintenant, nous l'espérons, le sens des mots «héritiers légaux». Ce sont les personnes LÉGALEMENT en droit d'hériter de vos biens, soit en vertu de votre testament, soit en vertu de la loi, d'où le terme «VOS AYANTS DROIT» (voyez le tableau énumérant les héritiers légaux à défaut de testament dans le chapitre intitulé «Les décès sans testament»).

En résumé, une police d'assurance-vie payable aux «héritiers légaux», aux «ayants droit» ou à «la succession» stipule trois expressions synonymes.

6.

Les différentes façons de léguer ses biens

Il y a de nombreuses façons de léguer ses biens à cause de mort. C'est intentionnellement que, dans ce volume, nous écartons les façons entrevifs de disposer de biens, c'est-à-dire par acte de donation, par prêt à fonds perdus, par acte d'aliénation ou par toute autre forme d'acte qu'il est possible de signer de son vivant, pour nous intéresser exclusivement aux transmissions à cause de mort, principalement aux testaments.

Bien qu'on ait toujours renseigné le profane sur trois formes de testament, nous affirmons quant à nous que, s'il y a bien trois formes principales de testament, il y a de fait onze façons différentes de léguer ses biens à cause de mort. En voici la liste:

a) testament authentique (notarié);
b) testament sous la forme anglaise (deux témoins);
c) testament olographe (écrit et signé à la main);
d) testament militaire;
e) clauses testamentaires en contrat de mariage;
f) nomination d'un bénéficiaire dans les polices d'assurance-vie;

g) testament fait en pays étranger;

h) attribution des biens selon la loi elle-même, *i.e.* le Code civil;

i) autotestament;

j) codicille;

k) révocation de testament.

Toutes les façons énumérées ci-dessus sont tout à fait légales. Le lecteur se pose probablement quelques questions sur chacune d'elles.

Évidemment, chaque manière de procéder comporte des avantages et des désavantages, des qualités et des défauts selon les circonstances. Un chapitre est consacré au choix d'une forme de testament appropriée; nous y traiterons des trois testaments de base puisque, dans la réalité, ceux-ci correspondent aux situations les plus courantes.

A. Testament authentique (notarié)

Le testament authentique est un acte de dernière volonté que nous appelons volontiers la «Cadillac» des testaments. La qualité primordiale de cette forme de testament tient dans le fait que le testateur y bénéficie en exclusivité de l'expérience légale d'un notaire. Si le testateur est dans une situation compliquée, c'est-à-dire s'il possède un grand éventail de bien matériels, d'intérêts divers dans différentes entreprises, d'un ou de plusieurs fonds de commerce, de propriétés immobilières, s'il veut créer des usufruits, des substitutions vulgaires ou fidéicommissaires, lorsqu'il désire inclure dans son testament des clauses spéciales, telles des droits d'habitation ou des clauses d'insaisissabilité, nul doute qu'il doit consulter un expert en la matière, un notaire de son choix qui saura lui composer un testament traduisant exactement ses dernières volontés.

Même s'il est de grande qualité, ce testament présente en

contrepartie certains inconvénients, dont le premier est certainement son coût. Le prix d'un testament notarié standard, à Laval, est de 75 $. Ce coût peut être jugé raisonnable par un consommateur qui en a les moyens, mais dans le contexte économique actuel, qui n'est pas à l'affût de moyens de réduire les dépenses pour réussir à joindre les deux bouts?

Un second inconvénient surgit lorsqu'il faut utiliser un testament notarié du Québec pour récupérer des biens situés à l'étranger, soit dans une autre province canadienne, soit dans un autre pays où cette forme de testament n'existe pas. En pareil cas, on devra fournir une preuve supplémentaire d'authenticité conforme aux exigences et aux normes en vigueur dans le lieu (pays, province, état, etc.) où doit être utilisée la copie du testament notarié, car cette dernière n'est pas utilisable comme telle, et ne fera pas preuve par elle-même comme ici au Québec, à moins qu'on y attache une preuve supplémentaire d'authenticité. Ainsi, on exige souvent la signature et l'approbation et du secrétaire de la Chambre des notaires et du consul du pays concerné; d'autres fois, l'on exige les affidavits et documents requis pour la transformation du testament notarié en testament sous la forme anglaise[1].

Les notaires sont des praticiens du droit et des officiers publics dont la principale fonction consiste à rédiger et à recevoir les actes et contrats auxquels les parties doivent ou veulent faire donner le caractère d'authenticité rattaché aux actes de l'autorité publique. Ils en assurent également la datation. Ils ont aussi pour fonction de conserver en minute le dépôt des actes qu'ils reçoivent, d'en donner communication et d'en délivrer des copies ou extraits authentiques. Les notaires sont institués à vie, et leur juridiction s'étend à tout le Québec.

1. «International Self-Counsel Press Ltd.» (Vancouver) publie une série de documents intitulée «Self-Counsel Series» qui renseigne sur les testaments et les règlements de successions en vigueur dans la majorité des autres provinces canadiennes.

Ils peuvent passer un contrat même en dehors du Québec lorsque ce contrat concerne un immeuble situé au Québec. Ainsi, le notaire peut recevoir à Miami un contrat notarié passé entre deux citoyens américains, le vendeur et l'acheteur, si l'immeuble se trouve au Québec. Il en est de même lorsque les parties ont leur domicile au Québec. Par exemple, le notaire peut faire un contrat de mariage à Miami pour deux futurs mariés québécois. Au point de vue testamentaire, un notaire québécois séjournant dans n'importe quelle partie du monde a le pouvoir de rédiger un testament authentique, notarié, pour un testateur qui a son domicile au Québec. Vous êtes en vacances à Miami où vous rencontrez un compatriote notaire; ce dernier a pleinement le droit de vous faire un testament notarié.

Quant à sa formation juridique, elle est à toute épreuve; il faut déplorer le fait que beaucoup de citoyens s'imaginent que la formation légale du notaire est différente de celle de l'avocat. Les deux professions reposent exactement sur la même formation juridique universitaire. Lorsqu'un étudiant fait son cours de droit à l'université, il n'est ni notaire ni avocat. Il obtient ses diplômes «ès lois» de la faculté de droit, et c'est seulement plus tard qu'il doit se présenter soit devant le Barreau, soit devant la Chambre des notaires pour y passer ses examens d'admission. Évidemment, durant sa quatrième année de droit, selon qu'il veut être notaire ou avocat, le candidat suivra des cours différents, adaptés à sa future profession.

Un même individu ne peut être notaire et avocat en même temps et, quoique le fait soit rare, un avocat peut changer de profession pour devenir notaire et vice versa, sans être obligé de refaire son cours de droit.

Il faut aussi déplorer, à propos du notariat, que les citoyens des autres provinces canadiennes ou des États-Unis ne connaissent pas assez la compétence juridique du notaire.

Cette ignorance, répandue surtout dans la plupart des États américains, vient du fait que le «Notary Public» n'a pas la formation de l'avocat américain et, partant, n'a pas la réputation d'un homme de loi. À l'inverse, les Québécois, pour la plupart, s'imaginent qu'il n'existe pas de notaire dans les provinces anglaises ni dans les pays anglo-saxons alors qu'en réalité il s'y trouve des hommes de loi qui ont la capacité et le droit de rédiger des contrats, des testaments, des hypothèques (*pledges and mortgages*, etc.). Il s'agit d'une branche ou d'une spécialité de la profession d'avocat. Cet avocat ne s'appelle pas comme ici «notaire», mais il est tout de même un homme de loi dont la principale fonction consiste à rédiger des contrats, de même que chez nous un avocat peut être spécialiste de recherches dans la jurisprudence tandis qu'un autre peut se consacrer à la préparation des causes de son confrère plaideur.

Même si, au Québec, l'avocat et le notaire suivent les mêmes cours, il faut admettre que leur façon de pratiquer le droit est totalement différente: ainsi, le notaire ne se chargera d'aucune affaire contentieuse alors que l'avocat n'aura pas le droit de faire de contrats d'hypothèque ni de contrats de mariage, ni d'actes authentiques, le tout étant réservé à la compétence du notaire.

En ce qui a trait à la question testamentaire et successorale, il n'y a aucun doute que la grande expérience du notaire en la matière ne soit un gage de sa compétence. Comme nous le disions précédemment, tout testament relatif à une situation compliquée, où l'on peut s'attendre à des règlements futurs longs, ardus et particuliers, devrait être notarié.

B. Testament sous la forme anglaise (deux témoins)

Ce genre de testament peut être écrit indifféremment par le testateur lui-même ou par une autre personne, écrit à la machine ou imprimé.

Il présente notamment l'avantage d'être gratuit. De plus, le testateur peut écrire lui-même son testament à la machine à écrire ou confier cette tâche à une autre personne.

Le grand défaut de cette forme de testament est que, comme le testament olographe, il peut être perdu ou détruit. Tout individu qui entreprend de faire un tel testament doit savoir au départ qu'un testament ne peut pas être fait dans le même acte par deux ou plusieurs personnes, soit au profit d'un tiers, soit à titre de testament réciproque et mutuel; par exemple, deux époux ne peuvent pas faire un seul testament pour se donner les biens l'un à l'autre en cas de décès de l'un des deux. Lorsqu'on dit: «J'ai un testament au dernier vivant les biens», on veut dire: «Nous avons deux testaments, chacun le nôtre, dans lesquels le testateur donne tous ses biens à son conjoint.»

Étant donné par ailleurs qu'il s'agit, là aussi, d'un testament solennel, il faut bien noter que le législateur y attache certaines formalités qui sont de rigueur. Certains croient à tort que ce testament doit simplement être signé devant deux témoins pour être valide. L'article 851 du Code civil ordonne et stipule:

> «Doit être rédigé par écrit et signé, à la fin, de son nom ou de sa marque par le testateur, ou par une autre personne pour lui en sa présence et d'après sa DIRECTION EXPRESSE, laquelle signature est alors ou ensuite reconnue par le testateur comme apposée à son testament alors produit, devant au moins deux témoins idoines présents en même temps et qui ATTESTENT et signent

DE SUITE le testament EN PRÉSENCE et à la RÉQUISITION du testateur.»

Les témoins idoines sont ceux qui possèdent les qualités requises par la loi pour être témoins. Quant aux règles définissant ces qualités, elles sont les mêmes que pour le testament en forme authentique.

Il est extrêmement important ici de bien aviser le consommateur qu'un époux ne peut pas être témoin avec son épouse dans un même testament. De plus, les témoins doivent être majeurs (dix-huit ans). Ils peuvent être parents ou alliés du testateur ou entre eux, mais il importe de souligner qu'ils ne doivent être ni parents ni alliés avec un héritier (ils pourraient être parents jusqu'à un certain degré, mais nous conseillons aux personnes concernées de ne pas courir le risque de choisir un parent ou allié d'un héritier pour être témoin).

À titre d'exemple, un testateur qui voudrait donner tous ses biens à une oeuvre de charité pourrait demander à son frère d'être son témoin, mais si ce testateur devait léguer tous ses biens à son épouse, il ne pourrait pas prendre son frère comme témoin parce que ce dernier est le beau-frère de l'héritière.

Un tel testament n'est pas nouveau puisque le Législateur le prévoit depuis l'existence du Code civil en 1867. Peu employée dans la province de Québec, c'est la forme testamentaire de base dans toutes les autres provinces canadiennes et dans tous les pays de droit anglo-saxon. Si vous vous adressez à un avocat dans le but de lui faire rédiger votre testament, il en a sûrement la compétence et la formation requises, et c'est la forme de testament qu'il utilisera. Il existe au Québec des firmes d'avocats et de nombreuses sociétés de fidéicommis (communément appelées des *trusts* ou des compagnies de fiducie) qui préparent des testaments sous la forme anglaise.

Nous devons mettre le lecteur en garde contre les risques

auxquels il s'expose en faisant un testament seul, sans avoir la formation juridique requise. Il se doit alors d'être prudent et de ne pas trop détailler son testament. Nous lui conseillons de lire attentivement le chapitre intitulé «Quoi mettre dans son testament», s'il choisit de faire son testament seul.

Ce testament peut être écrit sur toute sorte et toute forme de papier et à l'aide de n'importe quel moyen d'écriture. Il n'y a aucune prescription spéciale.

C. Testament olographe

Le testament olographe est celui qui est entièrement écrit, signé et daté de la main du testateur. La première qualité de ce testament est son coût puisqu'il n'occasionne aucun frais lors de sa composition. Son second avantage est sans doute la totale liberté dont dispose le testateur pour le faire où et lorsqu'il le veut bien, sans rendre compte à personne de ses actes. Mais attention! Ce testament peut être perdu ou détruit par des individus qui auraient peut-être voulu être héritiers et qui ne le sont pas.

Les remarques faites dans le cas du testament sous la forme anglaise concernant la compétence légale du testateur s'appliquent également au testament olographe.

Ce genre de testament écrit en entier et signé de la main du testateur ne requiert ni notaire ni témoins, et il n'est assujetti à aucune forme particulière. Même le sourd-muet suffisamment instruit peut faire un testament olographe comme toute autre personne qui sait écrire. Ce testament peut être rédigé sur n'importe quelle sorte de papier ou de carton, de n'importe quel format: il n'y a aucune prescription à ce sujet, et le testament est olographe en autant qu'il est écrit en entier et signé de la main du testateur, à l'encre, au crayon ou avec tout moyen (même un bâton de rouge à lèvres).

D. Testament militaire

Le Code civil consacre un article spécial (n° 849) au testament militaire. Nous ne nous attarderons pas sur le sujet parce que ce genre de testament, prévu dans le Code civil de 1867, n'est plus vraiment à la mode aujourd'hui. Par souci de traiter des différentes façons de tester, nous renseignons quand même notre lecteur, ne serait-ce que par intérêt documentaire.

Le testament militaire est une catégorie de testaments privilégiée et ne peut être fait que dans des circonstances particulières, c'est-à-dire durant le temps où le militaire est en service. Ce «testament militaire» peut même être un document qui ne remplit pas les conditions d'un testament standard. Il peut même s'agir d'une lettre personnelle dans laquelle le militaire écrit certaines intentions se rapportant aux dispositions de ses biens à cause de mort ou même être une déclaration verbale (c'est ce qu'on appelle le testament verbal ou nuncupatif). Pour établir la validité d'un tel testament, il n'est pas nécessaire de prouver que le testateur savait réellement qu'il faisait un testament ou qu'il avait le pouvoir de le faire; il suffit de connaître ses intentions. Un testament fait dans de telles circonstances est révoqué, c'est-à-dire annulé automatiquement par le mariage subséquent du militaire.

Il est actuellement d'usage dans l'armée de demander à tout jeune soldat, dès son enrôlement, de faire son testament s'il n'en possède déjà un. L'armée canadienne fournit gratuitement à ses recrues des formules de testament sous la forme anglaise imprimées d'avance qui concernent tous les biens du testateur alors que le vrai testament militaire dont il est question à l'article 849 du Code civil ne s'applique pas aux biens immobiliers, le militaire devant choisir l'une des trois autre formes courantes de testament pour léguer de tels biens.

Les articles 25.01 à 25.015 du «Queen's Regulations and

Orders for the Canadian Forces/Ordonnances et Règlements royaux applicables aux Forces canadiennes», édition révisée de 1968, volume 1, se rapportent spécialement aux successions militaires et à leur administration, le tout basé sur l'article 39 de la loi sur la Défense nationale. Une «succession militaire» signifie la solde et les allocations militaires, les autres émoluments qui émanent de Sa Majesté et qui sont dus à la date du décès, l'équipement individuel du militaire dont la rétention est permise par les règlements, les effets personnels trouvés sur la personne du décédé ou dans les logements laissés à la garde des Forces canadiennes et, si le militaire décède à l'extérieur du Canada, tous les autres effets personnels qui se trouvent hors du Canada si la valeur totale ne dépasse pas 10 000 $.

La «succession militaire» ne comprendra ni les objets d'équipement individuel ni les effets personnels trouvés dans le logement d'un militaire marié.

Le ministre de la Défense nationale nomme un directeur des successions qui possède les mêmes droits et pouvoirs à l'égard d'une succession militaire que s'il avait été nommé exécuteur testamentaire ou administrateur de cette succession par un tribunal de juridiction compétente. Le directeur des successions acquitte alors les dettes privilégiées grevant cette succession militaire, lesquelles se composent des loyers dus, des comptes en souffrance relatifs à des biens non publics, des sommes dues à l'égard du matériel et du solde débiteur au compte de solde. Par la suite, si le militaire a fait un testament, le directeur des successions fait livrer à l'exécuteur testamentaire l'actif net de la succession militaire qu'il a en sa possession. S'il n'y a aucun exécuteur testamentaire, l'actif net de la succession militaire est distribué soit en conformité avec les dispositions du testament du défunt ou, faute de testament, en conformité avec celles de la loi sur les successions du lieu de son domicile. Dans le cas où le directeur des successions ne parviendrait pas à procéder à une répartition des biens du militaire, il convertit l'actif net en espèces qu'il verse au Receveur général du Canada à la charge par ce dernier de le déposer à un ou plusieurs comptes fiduciaires spéciaux en attendant la distribution finale aux héritiers légaux. Lorsqu'un enfant en bas âge a droit à tout ou partie d'une succession militaire, le directeur des successions peut, en vue de l'entretien, du bien-être et de l'éducation de cet enfant, autoriser le versement, à même l'argent qui lui est payable, d'une somme d'au plus 300 $ en une année quelconque, soit aux parents ou au gardien de l'enfant ou encore à son tuteur, ou à une société de bien-être ou de protection de l'enfant reconnue par la législation d'une province.

Aucune personne ne possède de droit une réclamation contre une succession militaire (25.06).

Lorsqu'un militaire meurt, son commandant nomme un comité chargé du règlement de la succession militaire, lequel agit selon les prescriptions du chef de l'état-major de la Défense, perçoit, inventorie et protège la succession militaire, envoie une copie du compte rendu de cette délibération directement au directeur des successions et règle la succession militaire conformément aux instructions de ce dernier.

E. Clauses testamentaires en contrat de mariage

Lorsque vous décidez, avant de vous marier, de faire un contrat de mariage pour choisir votre futur régime matrimonial et inclure certaines autres dispositions de votre choix, le notaire vous forcera quasiment à y inclure une clause testamentaire, cela dans votre propre intérêt.

C'est dans de tels cas que l'on peut parler d'un contrat de mariage «au dernier vivant les biens», car une clause testamentaire de cette sorte stipule que les futurs époux se font donation mutuelle et réciproque de tous les biens qu'ils posséderont au moment de leur décès. Le notaire, guidé par son expérience légale, rédigera toujours cette clause de façon que chacun des deux futurs époux reste libre de faire un testament proprement dit à une date ultérieure. Pour expliquer clairement cette clause testamentaire d'un contrat de mariage, disons qu'un individu donne tous ses biens à son conjoint en cas de décès, mais se réserve le droit de changer d'idée en faisant un autre testament.

Quel est le but d'une telle clause? Comme les jeunes mariés voient tout en rose, ils ne prennent pas conscience qu'un malencontreux accident peut survenir même en voyage de noces et que le mari décédé accidentellement peut laisser une veuve enceinte. Si ce jeune époux n'a prévu aucune disposition testamentaire, ses biens seront alors divisés dans la proportion des deux tiers au bébé éventuel et d'un tiers à son épouse. Comme l'enfant n'est pas né, il faudrait à ce moment convoquer un conseil de famille pour nommer un curateur au ventre, c'est-à-dire une personne chargée d'administrer des biens qui appartiendront à un enfant qui n'est pas encore né, mais qui deviendra héritier, à condition qu'il naisse vivant et viable. Si l'épouse du défunt ne mène pas sa grossesse à terme, l'enfant est alors réputé n'avoir jamais existé, et les biens de l'époux seront attribués, dans la proportion d'un tiers à sa veuve, d'un tiers à ses parents et d'un tiers encore à ses frères et soeurs. Rappelez-vous cependant que les biens seront distribués aux héritiers légaux du défunt (voir les chapitres 5 et 7 sur «Les héritiers légaux» et «Les décès sans testament»).

Si le bébé en question naît vivant et viable, il faut à ce moment réunir un nouveau conseil de famille afin, cette fois, de nommer un tuteur qui sera chargé d'administrer les biens de l'enfant jusqu'à sa majorité. L'inclusion d'une telle clause testamentaire dans un contrat de mariage est la solution idéale pour éviter tout ce tralala: les futurs époux se font mutuellement confiance en se léguant l'un à l'autre leurs biens afin que l'un ou l'autre s'occupe des enfants au besoin. Le notaire recommandera fortement cette clause en contrat de mariage puisque chacun des deux époux y conserve la totale liberté de changer d'idée au moment de son choix.

On dit que l'amour rend aveugle; le notaire ne fait que mettre son expérience et sa lucidité au service des amoureux afin de leur éviter un retour trop cruel à la réalité.

F. Les bénéficiaires de polices d'assurance-vie

Quand vous contractez une police d'assurance sur la vie auprès d'une compagnie d'assurance, vous faites toujours un acte testamentaire pour en déterminer le bénéficiaire. Si la police est payable aux héritiers légaux, le produit en sera versé aux héritiers que vous aurez vous-même désignés dans votre testament ou qui seront impersonnellement déterminés par la loi, advenant le cas où vous auriez choisi de ne pas faire de testament.

Par les mots «ayants droit», on entend les individus qui auront droit à votre succession; ce pourrait être des héritiers testamentaires ou des héritiers prévus par la loi à défaut de testament, mais de toute façon ce seront ceux qui auront droit à vos biens.

Lorsque vous décidez, dans votre police d'assurance-vie, de nommer un bénéficiaire spécial, comme votre épouse, un enfant, votre père ou votre mère, un ami, etc., cela signifie que le produit de votre assurance-vie sera remis à la personne que vous aurez désignée. Il ne faut pas oublier qu'un contrat d'assurance-vie est un contrat réel entre une compagnie d'assurance et un assuré et qu'il importe de vous conformer aux clauses de ce contrat si vous désirez changer le nom du bénéficiaire sans permission, par testament ou d'une autre façon. Votre agent d'assurance-vie est la personne compétente et toute désignée pour vous renseigner à ce sujet. Nous vous faisons grâce ici de toutes les explications que nous pourrions donner relativement à la loi sur les assurances, puisque ce n'est pas le but de notre étude.

G. Testament fait lors d'un séjour à l'étranger

En ces temps modernes où le voyage est à la mode, comment concilier les notions de voyage et de testament? Il est de pratique de plus en plus courante que le citoyen, et nous entendons par citoyen toute personne, qu'elle soit riche ou financièrement démunie, sorte de son patelin pour aller voir ce qui se passe hors de chez lui. C'est ainsi qu'à l'occasion des vacances annuelles ou des week-ends, pour son agrément, il est d'usage de voyager.

Peu nombreux sont ceux qui ne se sont déjà rendus dans les diverses régions du Québec, dans les autres provinces canadiennes, dans les États américains ou même dans les pays plus éloignés et plus exotiques afin d'en connaître les us et coutumes.

Sans être pessimistes, rappelons aux voyageurs que certains aléas peuvent se présenter à l'improviste: ainsi, cet homme se réveille le lendemain d'une nuit inoubliable avec un de ces maux de tête qui lui donne à penser qu'il est plutôt en enfer qu'au paradis! De tels lendemains se chargent de ramener sur terre le pauvre fêtard; sa santé défaillante aidant, ce dernier se retrouve à l'hôpital, entouré de «blouses blanches», et craint à tort ou à raison d'avoir atteint l'heure du trépas...

Le pauvre homme se rend compte alors qu'il n'a jamais

pris le temps de «mettre ses papiers en ordre» et que son insouciance lui a fait perdre momentanément le sens des responsabilités. Voilà donc qu'il veut disposer sur-le-champ de ses biens en prévision de son décès possible! Que faire?

Que doit faire également ce brave type qui, lors d'un séjour à l'étranger, subit un déplorable accident d'automobile et reprend conscience à l'hôpital! Et ce troisième qui part en octobre passer les six mois d'hiver sous un climat plus clément?

Chacun de ces individus se trouve à un moment donné face à l'obligation de faire un testament. Comment? La réponse est la suivante: que vous vous trouviez dans n'importe quel pays étranger, n'importe où hors du Québec, rappelez-vous que tout document, testamentaire ou autre signé à l'étranger suivant la loi du pays où vous êtes en voyage, est totalement valide. Ainsi, ce Québécois en voyage à Miami qui va rencontrer un avocat de l'endroit pour faire son testament agit sagement et s'adresse à la bonne personne.

Pour plus de clarté, disons que lorsque vous vous trouvez en pays étranger et que vous voulez faire ou signer un document légal, rendez-vous simplement chez l'individu ou le professionnel en autorité.

D'un autre côté, en vertu de votre qualité de citoyen québécois, que vous vous trouviez n'importe où dans le monde, si vous refusez de vous adresser à un juriste du pays concerné et que vous n'en vouliez pas moins régler votre problème testamentaire à cause de certaines circonstances imprévues, vous pouvez toujours rédiger votre testament sous la forme anglaise ou sous la forme olographe, et le tout sera totalement valide et accepté au Québec comme partout ailleurs dans le monde.

Par exemple, un Québécois se rend avec son amie faire un voyage de trois semaines à Moscou. Ayant un esprit prévoyant, en plus d'apporter dans ses bagages ses accessoires de rasage, il y met son «accessoire testamentaire», soit une formule testamentaire en blanc. Une fois à Moscou, l'amie en question se révèle plus exigeante et d'un caractère plus exécrable que prévu. Il avait rédigé un testament à l'aéroport, avant de quitter le pays, en faveur de sa compagne de voyage, mais comme celle-ci ne se montre pas plus conciliante qu'il ne le faut et qu'il commence à éprouver des regrets, il refait son testament sous la forme anglaise ou sous la forme olographe pour réinstituer son épouse canadienne, restée au foyer durant son voyage d'affaires, sa légataire universelle et exécutrice testamentaire. Il cachète le tout avec un petit mot: «Chère épouse, j'ai oublié de dicter mes dernières volontés avant de partir en voyage et, de peur d'avoir un accident pendant mon séjour à l'étranger, je t'envoie mon testament par la poste.»

Cet exemple quelque peu ironique explique clairement que tout citoyen du Québec peut faire un testament quel que soit le point du globe où il se trouve, soit en observant la loi du pays, soit en faisant, selon la loi du Québec, un testament sous la forme olographe ou sous la forme anglaise, ou encore, ce qui est plus rare, en faisant rédiger un testament notarié par un notaire québécois qui serait du même voyage.

Si vous êtes dans un pays régi par le droit latin comme la France, l'Italie, l'Espagne, etc., vous pouvez vous rendre chez un notaire qui fera votre testament d'une façon totalement légale; dans un pays régi par le droit saxon, c'est à un avocat que vous devrez vous adresser, mais le testament sera tout aussi valide.

H. Attribution des biens selon la loi elle-même

Qu'arrive-t-il si vous ne décidez pas de faire vous-même votre testament, de désigner vous-même vos héritiers? Cette décision personnelle équivaut en fait à une solution de remplacement: vous laissez à la loi le soin de déterminer elle-même vos héritiers. Si vous optez pour cette façon de disposer de vos biens par suite de décès, cela ne veut pas dire qu'ils ne seront pas distribués d'une manière équitable. La lecture du chapitre 7 intitulé «Les décès sans testament» vous fournira des éclaircissements. La décision que vous prendrez à la suite de cette lecture reflétera vos volontés.

Lorsqu'un individu est satisfait du choix des héritiers prévus par la loi à défaut de testament, il a raison de n'en point faire, à plus forte raison s'il ne désire pas nommer d'exécuteur testamentaire. Par exemple, un citoyen, veuf, qui voudrait laisser tous ses biens à son fils unique, n'aurait pas nécessairement besoin de faire un testament puisque la loi stipule qu'à défaut de testament, tous ses biens iront en totalité à ce fils unique.

Il appartient au citoyen de décider lui-même de la solution à apporter à son problème testamentaire. Mais si nous sommes en faveur du libre choix, nous n'en croyons pas moins qu'il nous incombe d'exposer clairement au citoyen dans ce volume les différentes solutions parmi lesquelles il doit choisir de façon éclairée. Même si un lecteur devait choisir de ne pas faire de testament, nous aurions quand même atteint notre but, s'il comprend véritablement la décision qu'il a prise.

Toutefois, il faut bien se rappeler que la loi est impersonnelle. Si vous voulez protéger des amis qui vous ont rendu d'immenses services de votre vivant, et Dieu sait que les amis nous sont souvent plus proches que les parents eux-mêmes, si vous voulez laisser vos biens, non à un parent mais à une oeuvre de charité par exemple, ou encore si vous voulez témoigner votre reconnaissance envers une oeuvre humanitaire, telle une société de recherche sur les maladies du corps, il vous faudra faire un testament et ne pas vous en remettre à la loi à cet égard, car elle ne prévoit aucune de ces situations. De la même façon, lorsque vous désirez léguer un ou des organes de votre corps, vous êtes le seul à pouvoir l'indiquer en le stipulant dans des documents spéciaux ou dans votre testament. Tout cela est très louable (dons d'organes, dons à des sociétés sans but lucratif, etc.) et nous ne pouvons nous empêcher de vous le conseiller, si tel est votre désir.

Nous admettons volontiers que la loi est impersonnelle. Cependant, elle n'est pas à ce point mal faite qu'elle ne concorde pas quelquefois avec les idées du simple citoyen.

C'est un moyen de disposer de ses biens pour cause de décès que de ne pas faire de testament. Cette décision est personnelle, et vous seul pouvez juger de son opportunité.

I. Autotestament

L'Autotestament consiste à faire soi-même son testament. On serait porté à croire que ce concept est une nouvelle forme de testament alors qu'il n'en est rien. Ce concept veut vulgariser et démystifier le testament et il préconise simplement la popularisation du testament avec deux témoins. La nouveauté de ce concept est justement son principe de base: tout citoyen à compter de sa majorité, c'est-à-dire l'âge de dix-huit ans, devrait posséder son testament et faire dès ce moment le choix personnel de ses héritiers. Tout le monde devrait posséder son testament, quitte à ce qu'il soit fait sous la forme olographe ou sous la forme anglaise s'il n'est pas notarié, mais de grâce, que tous aient un testament. Toutefois, mieux vaut souvent ne point avoir de testament que d'en avoir un qui soit mal fait.

Si vous ne consultez pas un notaire pour faire votre testament, si vous n'en avez pas le goût, si vous n'en avez pas les moyens financiers, si vous êtes «allergique» aux notaires, nous vous montrerons comment faire un testament vous-même d'une façon adéquate.

Si une personne a l'intention de rédiger son testament, si elle ne veut pas faire un testament notarié, aussi bien choisir une formule testamentaire qui ne lui coûtera pas les yeux de la tête, une formule qui sera claire, concise et qui garantira légalement qu'à son décès, ses volontés seront exécutées à la lettre! De son vivant, il est essentiel, à plus forte raison si elle a des biens, que cette personne prenne des dispositions en vue d'éviter des problèmes énormes à ses héritiers. Face à la loi, aux exigences des uns et des autres, rien ne vaut une situation claire.

Par ailleurs, le consommateur moderne se doit d'être à la fine pointe de l'actualité. Il est maintenant possible de faire soi-même ce qui paraissait autrefois réservé à des spécialistes. Il a le droit d'être bien informé et de diriger ses affaires personnelles. Nous avons dit précédemment que le testament fait sous la forme anglaise possédait le défaut primordial de pouvoir être perdu ou détruit lors du décès du testateur. Un parent qui pensait être héritier, laissé seul avec l'original du testament ignoré de tous, pourrait être fortement tenté de le détruire s'il se rend compte qu'il n'est pas héritier mais qu'il le serait s'il n'y avait aucun testament.

Ce risque peut être éliminé grâce à l'Autotestament. Le consommateur peut retourner l'original de son testament complété à l'Autotestament Inc. qui en vérifie l'exactitude, le porte à son registre des testaments, le classe dans son fichier, par ordre alphabétique et par numéro d'assurance sociale, puis fournit au testateur une photocopie certifiée par un des officiers comme étant une reproduction fidèle et exacte de l'original. Cet officier signe aussi un certificat d'authenticité dûment assermenté et annexé à la photocopie. Le testament se trouve dès lors à l'abri de la perte et de la destruction puisque aucun héritier présomptif n'a l'occasion de détruire l'original; tout au plus détruira-t-il une copie du testament. Le chapitre intitulé «L'enregistrement des testaments et les registres testamentaires» apporte toutes les informations pertinentes.

Cette ignorance ou cette paresse de tant de consommateurs face à la question testamentaire est vraiment navrante. La grande qualité de l'Autotestament est que les formulaires sont préparés par des experts du droit, pour des situations simples et pour le consommateur moyen. Tous les points normaux que le consommateur ignore lorsqu'il n'a pas la compétence légale voulue pour faire son testament lui-même sont traités d'une façon compréhensible. Les instructions qui y sont attachées sont claires et précises au point qu'il est quasi impossible de s'y perdre; il complétera sa formule testamentaire d'une façon totalement légale, mettant ainsi ses héritiers à l'abri des erreurs coûteuses.

Le règlement de sa succession s'en trouvera d'autant facilité: cette formule testamentaire contient tous les renseignements essentiels requis pour minimiser la tâche du règlement de la succession, les frais du notaire ou du préposé au règlement de la succession se trouvant donc d'autant amoindris.

L'Autotestament est une version moderne du testament qui permet au consommateur de faire lui-même le choix de ses héritiers et qui réunit en un même document toutes les qualités des autres types de testament.

Nous sommes très conscients des difficultés inhérentes au mode de vie actuel. Si le citoyen n'a pas les moyens pécuniaires voulus de faire un ou des testaments authentiques, qu'il garde son argent pour lui, pour les besoins de sa famille, pour les usages de la vie courante, pour sa commande d'épicerie de fin de semaine. On se rend souvent compte que lorsqu'on a pourvu aux besoins courants de la famille, il ne reste plus grand-chose pour d'autres genres de dépenses.

J. Codicille

Le codicille est un petit testament qui se rattache à un

testament plus complet, et dont le but est de corriger, ajouter ou enlever quelque chose au testament existant, même si ce dernier a été fait devant notaire.

Il faut bien comprendre ceci: le codicille est un testament (petit) et il peut donc être notarié, sous la forme anglaise ou olographe. Tout ce qui est dit à propos d'un testament s'applique donc au codicille: formes — conditions — formalités — frais. Un codicille notarié coûte presque le même prix qu'un testament notarié.

Un codicille peut être fait avec l'Autotestament qui possède une formule à cette fin. Un codicille fait avec l'Autotestament coûte le même prix qu'un testament fait de la même façon. Le codicille de l'Autotestament est plutôt utilisé pour amender d'une manière économique un testament notarié.

K. La révocation de testament

La révocation de testament est une autre méthode de léguer ses biens à cause de mort.

Le mot «révocation» est le terme juridique synonyme d'«annulation».

Les révocations de testaments sont plus fréquentes que l'on pense. Ainsi, prenons cet individu qui possède un testament, soit notarié, soit sous la forme anglaise, soit olographe. Pour une raison que lui seul connaît, il décide d'annuler tout cela pour s'en remettre aux dispositions du Code civil concernant les héritiers à défaut de testament. Il procède alors par «révocation» de testament qui elle, peut être soit notariée, soit sous la forme anglaise ou olographe.

Sous n'importe quelle forme, la révocation peut être ainsi écrite:

> «Je révoque expressément tous testaments et codicilles que j'ai faits avant aujourd'hui.»

Cette simple phrase est en elle-même un testament puisqu'elle témoigne d'un acte de dernière volonté.

Pareillement, un testateur pourrait faire un testament (appelez-le un codicille) pour annuler tous ses testaments antérieurs ou même peut-être pour en annuler un dernier et pour stipuler qu'un autre testament antérieur redeviendrait valide.

Concluons en disant que la révocation est surtout employée pour annuler tous les testaments antérieurs pour s'en remettre à la loi elle-même, et que cette forme de testament doit remplir toutes les prescriptions ordinaires d'un testament pour être valide.

Il y a différentes façons de donner ses biens à cause de mort, et les mêmes façons existent pour les «dédonner».

7.

Les décès sans testament

Si vous avez opté pour ne point faire de testament, c'est votre choix, et il doit être respecté. Vous êtes tout à fait en droit de connaître vos héritiers dans un tel cas. Ce n'est pas là tâche facile puisqu'il faut prévoir toutes les situations imaginables à votre décès. Nous entendons par situations: votre état civil (célibataire — marié — divorcé — veuf) et votre régime matrimonial (séparation de biens — communauté de biens — société d'acquêts). Cela n'est d'ailleurs qu'une facette de la médaille, car de l'autre côté il faut tenir compte de vos survivants éventuels, et il peut y en avoir une foule! Il faudra envisager la postérité, c'est-à-dire les enfants, d'abord au premier degré, puis au second (petits-enfants), la ligne ascendante, composée des parents (père et mère) et des grands-parents, la ligne collatérale composée, elle, des frères et soeurs, des neveux et nièces, des cousins, etc.; et, il ne faut pas oublier, le cas échéant, le plus important: le conjoint.

Nous serons clairs, et notre lecteur, désigné ici sous l'appellation de «citoyen moyen», s'y retrouvera très facilement. Notre vulgarisation de la loi nous forcera à laisser de côté les situations peu courantes ou invraisemblables. Il faut toujours se rappeler que nous n'écrivons pas un traité de droit. En effet, à défaut de testament, la loi prévoit des successions jusqu'au 12e degré... Imaginez! Nous nous arrêterons bien avant cela!

Définitions importantes

Afin que vous compreniez bien ce chapitre, il nous est nécessaire de vous donner des définitions et de nous entendre sur certains termes.

Certains mots peuvent prendre des sens différents selon qu'ils s'appliquent au langage courant ou au langage juridique; souvent, ces expressions représentent des idées tout à fait différentes. Une fois que vous aurez compris ces définitions, vous suivrez facilement le texte de ce chapitre.

	Termes courants	**Termes juridiques**
PARENTS	Ce mot a deux sens: 1. père et mère; 2. toute cette variété d'individus faisant partie des relations familiales: Noël: la parenté; noces: parents et amis; funérailles: parents, amis et "débiteurs éplorés".	Tout ce qui a un lien de près ou de loin avec le sang et la génération considérée. Père - mère - frère - soeur - oncle - tante - neveu - nièce - cousin - cousine et tous les "arrières" et les "grands" et les "petits", etc. Comme un enfant naît d'un père et d'une mère, il y a une ligne paternelle et une ligne maternelle. Les parents de la ligne paternelle ne sont pas parents avec ceux de la ligne maternelle.
ALLIÉS	Associés, partenaires, amis, etc.	Liens faisant suite à l'union entre un homme et une femme par le mariage. Le mari devient l'allié de tous les parents de la femme et la femme, celle de tous les parents du mari. De là sont nés les termes "bru, belle-fille, gendre, beau-fils, beau-frère, beaux-parents, etc."

ENFANTS	1. Les enfants nés de vous; 2. n'importe quel jeune individu.	Des individus nés de vous, y compris souvent les petits-enfants. Note: Depuis le 2 avril 1981, les enfants nés hors mariage (on les appelait auparavant illégitimes) sont héritiers comme les autres enfants.
MEUBLES	La plupart du temps, signifie le mobilier de maison.	Tout ce qui n'est pas immeuble. Le seul bien qui est immeuble est un terrain. Signifie quelque chose de fixe, d'intransportable. Par accident, quand une construction est attachée à un terrain, elle devient immeuble. Quand vous transportez cette construction sur un autre terrain, c'est un meuble durant son transport. TOUT ce qui n'est pas immeuble est meuble: • argent en banque; • assurance-vie; • fonds de commerce; • automobile; • mobilier de maison; • animal, etc.
CONFUSION	Manque de clarté	Le fait que la même personne soit en même temps créancière et débitrice. Ainsi, si votre enfant vous doit de l'argent au moment de votre décès et que vous lui léguez tous vos biens, cet enfant se doit désormais son argent à lui-même. Il y a confusion, ce qui signifie que la dette est éteinte.

Une fois ces termes expliqués, surtout ceux de «parents» et d'«alliés», nous pourrons aborder notre sujet proprement dit.

Vous avez peut-être déjà entendu d'autres expressions juridiques; par exemple, «enfants au premier degré», «enfants au second degré», «ligne directe», «ligne collatérale», etc., toutes ces expressions seront expliquées plus loin et vous les comprendrez sans effort.

Ligne directe

Dans une succession, une ligne directe est celle qui provient de la transmission directe de la vie; c'est la descendance. En termes clairs, il s'agit du bébé qui tient directement son existence de son père et de sa mère. Vos enfants sont votre progéniture, votre descendance au premier degré. Par conséquent, vos enfants au premier degré sont vos héritiers en ligne directe descendante, car, le mot le dit, ils descendent de vous.

Lorsque votre enfant de vingt-cinq ans décide de se marier et d'avoir un bébé, ce bébé vient directement (en ligne directe) de son père, qui est votre fils. Vous, eh bien! vous devenez «grand-père». Il s'agit toujours de la ligne directe descendante; ce bébé devient votre petit-fils, votre héritier en ligne directe au deuxième degré. De même, votre arrière-petit-fils est votre héritier au troisième degré. Refaisons maintenant le même raisonnement mais en sens inverse. Si ce petit-fils décède, ses parents sont ses héritiers en ligne directe ascendante (puisque nous revenons vers le haut) au premier degré et ses grands-parents, toujours dans la même ligne ascendante, au second degré.

Les lignes directes ascendante et descendante sont deux lignes identiques, tout dépend où vous vous placez dans ce tableau. Si vous avez un père, une mère et des enfants, vos enfants sont en ligne directe descendante et vos père et mère sont en ligne directe ascendante.

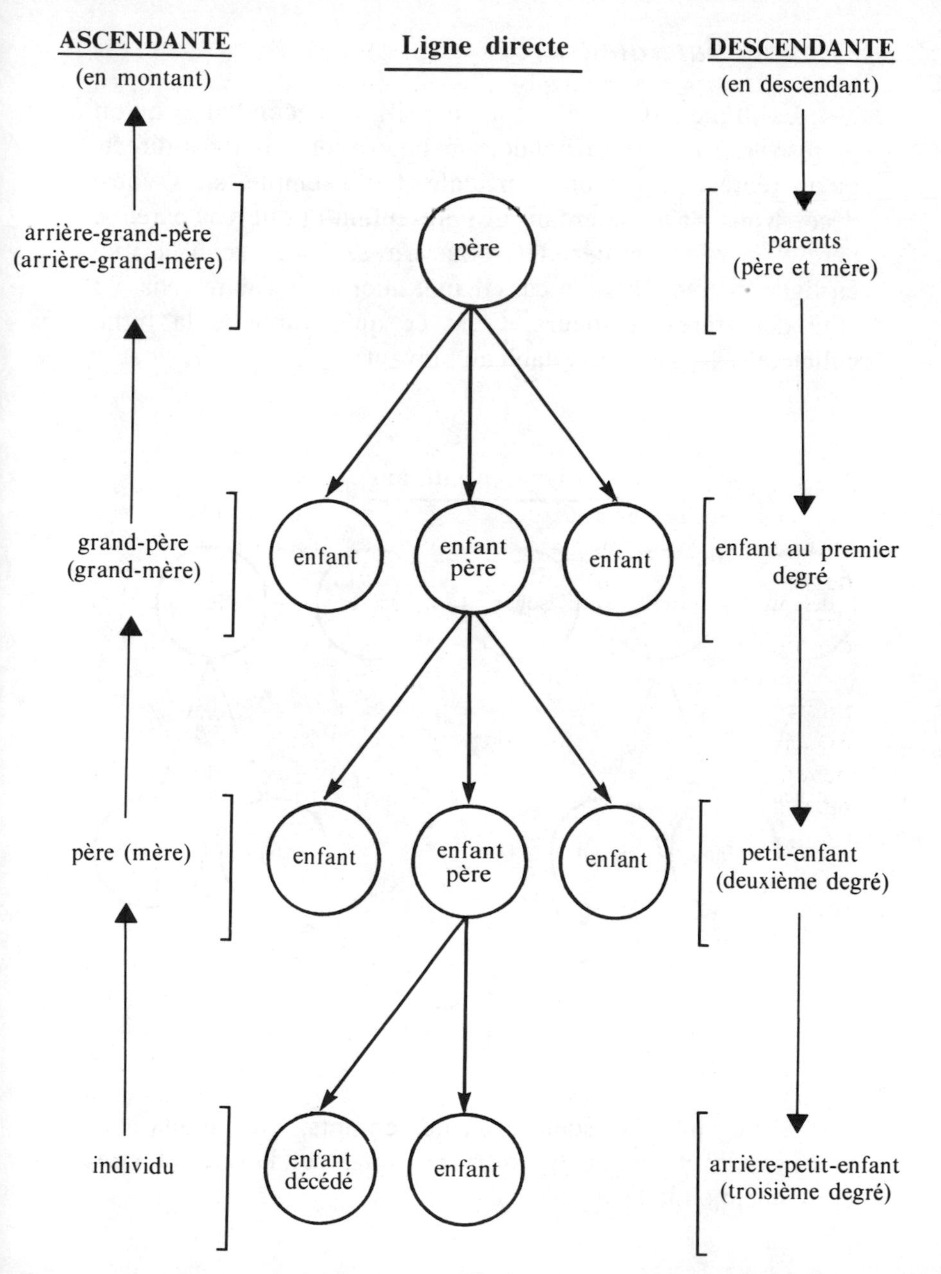
ASCENDANTE
(en montant)
Ligne directe
DESCENDANTE
(en descendant)
arrière-grand-père
(arrière-grand-mère)
père
parents
(père et mère)
grand-père
(grand-mère)
enfant
enfant
père
enfant
enfant au premier
degré
père (mère)
enfant
enfant
père
enfant
petit-enfant
(deuxième degré)
individu
enfant
décédé
enfant
arrière-petit-enfant
(troisième degré)

Ligne collatérale

La ligne collatérale est une ligne secondaire, qu'on représente par une horizontale, par opposition à la ligne directe qu'on représente par une verticale. Par exemple, si, à votre décès, vous n'avez ni enfant ni petit-enfant et que vos parents, père et mère soient décédés, vous n'avez donc aucun héritier en ligne directe. Dans ce cas, il faut aller dans l'autre sens, du côté des frères et soeurs. C'est ce qu'on appelle la ligne collatérale. Regardons le tableau suivant:

Ligne collatérale

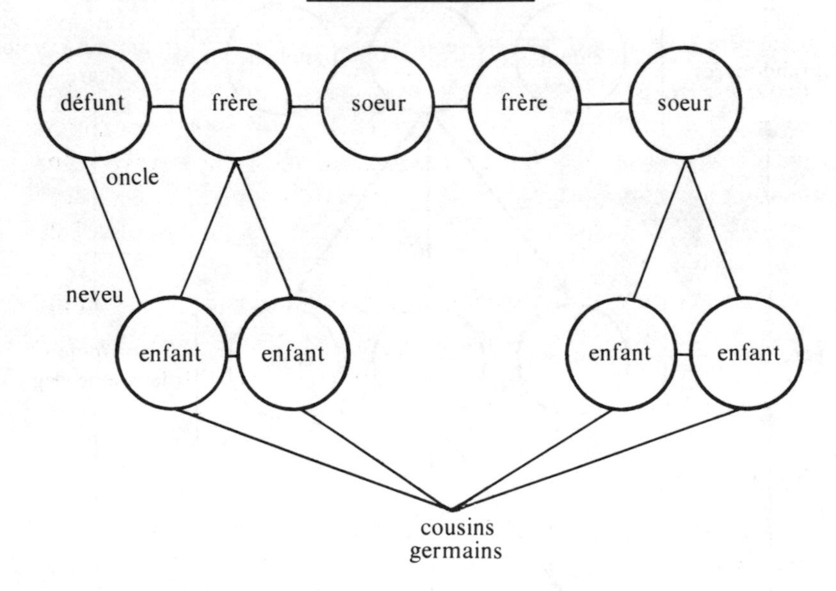

Si vos frères et soeurs ont des enfants, ces enfants sont vos neveux et nièces, toujours en ligne collatérale, et vous êtes l'oncle ou la tante.

Imaginez-vous à l'âge de quatre-vingt-dix ans et vous verrez apparaître des petits-neveux et des petites-nièces, peut-être même des arrière-petits-neveux et des arrière-petites-nièces.

Parents et alliés

Pour faire suite aux définitions importantes que nous avons données des mots «parents» et «alliés», nous nous contentons d'ajouter ici qu'à défaut de testament, seuls le conjoint marié légalement et les personnes PARENTES avec vous sont considérés comme vos héritiers présomptifs. Est-ce assez clair?

Aucun allié n'hérite en vertu de la loi. Les alliés sont des personnes qui deviennent «parents» par accident: les beaux-frères, les belles-soeurs, les beaux-parents, les gendres et les brus, etc. Les alliés sont les personnes parentes avec votre conjoint et non avec vous, ou celles qui sont devenues parentes avec vous suite au mariage d'un parent. Ainsi votre beau-frère peut être soit le frère de votre épouse (ou de votre époux) ou l'époux de votre soeur. Amusez-vous à compléter la liste vous-même.

Le conjoint de fait, appelé aussi conjoint de droit commun, ami(e), ou concubin(e), n'hérite pas non plus en vertu de la loi.

Il faut un testament pour qu'un allié ou un conjoint de fait devienne votre héritier.

Représentation

Peut-être avez-vous déjà entendu le mot «représentation». Il s'agit d'un terme juridique. La représentation est une fiction de la loi, par laquelle un héritier prend la place d'un autre. Il ne peut y avoir représentation que dans le cas d'une succession sans testament. Elle peut se faire en ligne directe ou en ligne collatérale.

Représentation en ligne directe

Supposons que vous ayez cinq enfants, mais qu'au moment de votre décès il ne vous en reste que quatre, et que l'enfant qui est décédé ait lui-même laissé deux enfants. Dans ce cas, ces deux petits-enfants remontent d'un degré, prennent la place de leur père et votre succession sera divisée en cinq parties égales tout comme si vos cinq enfants étaient vivants. La part de celui qui est décédé sera transmise à ses enfants (vos petits-enfants).

Représentation en ligne collatérale

S'il n'y a pas de testament, il se produit la même chose en ligne collatérale. En vertu de la loi, si vos biens sont transmis à vos frères et vos soeurs et que l'un deux soit décédé avant vous en laissant une postérité, les enfants de ce frère ou cette soeur prennent sa place et héritent avec leurs oncles et leurs tantes, c'est-à-dire vos frères et vos soeurs.

Il n'y a aucun autre cas où il puisse y avoir représentation en vertu de la loi seule.

Il n'y a pas de représentation lorsque vous faites un testament à moins que vous ne le spécifiez.

Lorsque des petits-enfants, des neveux ou des nièces deviennent héritiers, il arrive souvent que l'un d'eux soit mineur (moins de dix-huit ans); cette situation entraîne bien sûr des complications; par exemple la convocation d'un conseil de famille pour nommer un tuteur; en termes populaires, on dit que toute la succession est «gelée» jusqu'au moment où le dernier héritier aura atteint l'âge de dix-huit ans (majorité).

Si un enfant mineur devient co-propriétaire d'un immeuble avec d'autres héritiers majeurs, il faut lui nommer un tuteur; nous vous faisons grâce ici de toute la réglementation qui se rattache à la vente d'un immeuble dont un des propriétaires est mineur. Tout cela est trop compliqué à expliquer et à comprendre, et ne serait d'aucune utilité au lecteur moyen sans formation légale. Retenez simplement qu'il s'agit d'une situation spéciale très compliquée, non pour la personne décédée sans testament, bien sûr, mais pour les survivants.

Nous ouvrons ici une parenthèse pour vous rappeler que la loi stipule que le terme «enfant» comprend les «petits-enfants». Le législateur et la jurisprudence ont maintes fois statué que dans un testament il fallait voir l'intention du testateur. Or, ce dernier n'est plus présent pour s'expliquer. C'est pourquoi dans le chapitre intitulé «Quoi mettre dans son testament», nous conseillons au testateur d'être clair à ce sujet.

Les héritiers légaux à défaut de testament. Qui sont-ils? Où sont-ils? Comment les trouver?

Le tableau suivant est facile à comprendre et nous l'avons simplifié en limitant à un ou deux le nombre des enfants. Imaginez le charivari quand les familles comprennent chacune dix enfants. Ça fait «du monde», sans compter que parmi toute cette armée d'héritiers, il peut y avoir des incapables, des malades, des mineurs, des couples mariés sous toutes formes de régimes matrimoniaux, etc. Si vous avez lu attentivement tout ce qui précède, vous avez compris au moins une chose (c'est déjà un point en notre faveur). Ce n'est pas tellement la loi qui est compliquée, mais toute cette question de parenté, et, que peut-on y faire, il faut bien que la loi prenne les héritiers là où ils sont.

Tableaux des héritiers légaux à défaut de testament

ATTENTION: Ces deux tableaux ne sont pas complets. Nous n'avons retenu que sept cas pour le premier et cinq pour le second. Ce sont les cas les plus fréquents. Si votre situation n'y figure pas, c'est qu'elle est inhabituelle.

Tableau I: Personnes mariées	
SURVIVANTS	**autres parents — remarques**
1) CONJOINT = 1/3 et ENFANTS = 2/3	Autres parents: AUCUNE IMPORTANCE. ILS SONT TOUS ÉLIMINÉS. Représentation possible.
2) ENFANT(S) = TOTALITÉ	Si un de vos enfants est décédé avant vous (prédécédé) et qu'il laisse une postérité, ses enfants prennent sa place et héritent de sa part. Ce sont des petits-enfants qui héritent par représentation.
3) CONJOINT = 1/3 et FRÈRES ET SOEURS = 1/3 et PARENTS (père et mère) = 1/3	S'il n'y a aucun frère ni aucune soeur qui est décédé avant vous en laissant des enfants (neveux). Dans le cas contraire, il y a représentation. Ce tiers est divisé entre le père et la mère. Si l'un d'eux est décédé, l'autre hérite de tout le tiers.
4) CONJOINT = 1/2 et FRÈRES ET SOEURS = 1/2	Représentation possible.
5) CONJOINT = 1/2 et PARENTS (père et mère) = 1/2	Cette demie est divisée en parts égales entre le père et la mère. Si l'un des deux est décédé, l'autre hérite des deux parts.
6) FRÈRES et SOEURS = TOTALITÉ	Représentation possible.
7) NEVEUX et NIÈCES = TOTALITÉ PAR TÊTE	Si tous vos frères et toutes vos soeurs sont décédés avant vous. Il n'y a pas de représentation. Tous les neveux et nièces se partagent l'héritage en parts égales (par tête et non par souche): peu importe qu'un frère ait eu 3 enfants, l'autre 1 et le troisième aucun, il y a 4 neveux au total et votre succession sera divisée en 4.

LISEZ D'ABORD LA COLONNE DE GAUCHE, en commençant par le n° 1, pour trouver le cas qui correspond à votre situation. Lorsque vous l'avez trouvé, ARRÊTEZ-VOUS LÀ et laissez tomber les autres cas. Chaque cas élimine automatiquement tous les autres.

Autre exemple: dès qu'il y a un enfant (même en gestation), tous les autres parents (sauf le conjoint) sont éliminés; la loi protège la cellule familiale. Même s'il n'y avait qu'un enfant survivant, lui seul prendrait tout.

Rappelez-vous aussi que lorsque nous parlons du conjoint dans ce tableau, nous parlons du conjoint légalement marié.

Tableau II: Personnes célibataires

SURVIVANTS	autres parents — remarques
1) ENFANTS = TOTALITÉ	Si un de vos enfants est décédé avant vous (prédécédé) et qu'il laisse une postérité, ses enfants prennent sa place et héritent de sa part. Ce sont des petits-enfants qui héritent par représentation.
2) PARENTS (père et mère) = 1/2 et FRÈRES ET SOEURS = 1/2	Cette demie est divisée entre le père et la mère. Si l'un d'eux est décédé, l'autre hérite de toute cette demie. S'il n'y a aucun frère ni aucune soeur qui est décédé avant vous en laissant des enfants (neveux). Dans le cas contraire, il y a représentation.
3) PARENTS (père et mère) = TOTALITÉ	Cette totalité est divisée entre le père et la mère. Si l'un d'eux est décédé, l'autre hérite de cette totalité.
4) FRÈRES et SOEURS = TOTALITÉ	Représentation possible.
5) NEVEUX et NIÈCES = TOTALITÉ PAR TÊTE	Voir le n° 7 du tableau 1.

8.

Quoi mettre dans un testament?

Il est bien difficile de prendre la place du testateur pour lui dire quoi mettre dans son testament.

Évidemment, si le testament est notarié, le notaire, expert en droit, n'aura aucune difficulté à savoir quoi mettre dans votre testament pour que vos volontés soient respectées. Mais si vous avez pris la décision personnelle de faire votre testament vous-même, voici quelques conseils.

Quand nous disons que nous allons vous expliquer quoi mettre dans votre testament, nous ne voulons pas dire que nous dicterons nous-mêmes vos volontés. Non, puisque cela vous est personnel. Nous allons plutôt vous expliquer comment le dire, quoi dire et quoi ne pas dire.

Ne détaillez pas vos biens

Autrement dit, dans le testament, détaillez le moins possible. Cela ne veut pas dire de ne pas identifier vos biens correctement, car au contraire il faut bien les identifier. Mais, par exemple, si vous voulez donner tous vos biens à une personne en particulier, écrivez simplement: «Je donne tous mes biens meubles et immeubles» ou «Je donne tous mes biens». Ne les détaillez pas, car le mot «tous» dit ce qu'il veut dire. Si vous voulez détailler vos biens, faites-le, mais hors de votre testament, dans le seul but d'aider vos héritiers à les trouver après votre décès. Votre déclaration d'impôts, si elle est bien faite, donne ordinairement tous les renseignements pertinents pour que vos héritiers retrouvent facilement vos biens.

Identification des biens

Vous identifiez vos biens seulement dans le cas où vous faites des legs particuliers. Par exemple, si vous donnez une maison à un héritier, plus cette maison sera identifiée avec précision, mieux ce sera. Tout dépend des risques de confusion. À vous de juger. Essayez d'être le plus clair possible. N'allez surtout pas écrire: «Je donne ma belle maison de la rue Saint-Denis à X et la moins belle à Y.» Dans un tel cas, identifiez les maisons par leurs adresses, ou mieux, par leurs numéros de cadastre.

Résidu des biens

Ce paragraphe est important car il peut vous éviter des ennuis. Après avoir énuméré les dons que vous faites à différentes personnes, il faut toujours nommer une personne à qui vous laissez le résidu de vos biens. Même si vous êtes certain de pouvoir énumérer tous vos biens dans votre testament, prenez toujours un des héritiers (peut-être celui à qui vous donnez le plus), et, sans préciser ce que vous lui avez donné, écrivez simplement: «Je donne le résidu de tous mes biens meubles et immeubles à Monsieur X» ou «Je donne le résidu de tous mes biens à Monsieur X».

Un exemple vous fera comprendre. Supposons que vous possédiez comme biens ce qui suit: une police d'assurance-vie de 20 000 $, un compte en banque, un mobilier de maison et une automobile; vous voulez diviser le tout inégalement entre deux enfants, soit la police d'assurance à l'un et les autres biens à l'autre. Dans ce cas, dites: «Je donne ma police d'assurance-vie (précisez le numéro de la police et le nom de la compagnie) à mon fils X, et je donne le résidu de tous mes autres biens à mon fils Y.» Enfin, il y a une foule de manières de le dire, mais ce que nous voulons vous faire comprendre, c'est qu'il est très important de donner le résidu de vos biens à quelqu'un; c'est la meilleure façon de ne rien oublier et d'éviter une situation confuse entre vos différents héritiers.

Totalité des biens en parts égales

Si vous voulez donner tous vos biens à vos enfants en parts égales, n'écrivez aucun nom. Dites simplement: «Je donne mes biens en parts égales à mes enfants au premier degré.» Les mots «premier degré» signifient les enfants nés de vous à l'exclusion de vos petits-enfants. C'est alors vous qui décidez si vous voulez ou non que vos petits-enfants héritent.

Enfant

Selon la loi, le mot «enfant» peut inclure les «petits-enfants». Si vous voulez donner vos biens à vos propres enfants et non à vos petits-enfants, précisez-le.

Propres

Il est bon d'indiquer dans votre testament: «tous les biens seront propres à mes héritiers». Cela veut simplement dire que, par exemple, si vous donnez quelque chose à votre fils, votre bru n'aura aucun droit sur cet héritage, qu'ils soient mariés sous n'importe quel régime.

Clauses facultatives

Si vous désirez faire connaître vos volontés relativement à vos funérailles, votre sépulture, les dons d'organes, les messes, tout cela est facile à écrire; dites-le dans vos propres mots, nous ne voyons là aucun risque d'erreur.

Quoi éviter

Quant à différentes autres clauses que vous aimeriez inclure concernant l'insaisissabilité, l'incessibilité, l'usufruit, les droits d'usage, d'habitation et de substitution, etc., nous vous conseillons fortement de n'y pas toucher à moins d'avoir une bonne expérience légale. Dans ces cas, n'hésitez pas à consulter un notaire.

Conclusion

Efforcez-vous d'être clair et concis dans votre testament. Identifiez-vous clairement; identifiez aussi vos héritiers en écrivant toujours le lien de parenté qui vous unit; s'il n'y a aucun lien de parenté, identifiez clairement votre héritier et inscrivez son adresse; n'écrivez pas seulement «Gérald Poirier», plusieurs individus dans la province de Québec portant ce même nom.

Tous les conseils énumérés ci-dessus s'adressent au citoyen ordinaire. Ne faites pas votre testament seul si vous n'avez pas les qualités requises pour le faire. L'étude attentive des différentes possibilités qui vous sont offertes ici vous permettra d'y voir clair.

Et rappelez-vous bien ceci: un seul testament par individu.

La survie après le décès

Le testateur ressent le besoin de survivre après son

décès. Est-ce rêver en couleurs? Il se représente la vie lorsqu'il ne sera plus là et voit alors clairement ses proches avec leurs joies et leurs problèmes.

Tout ceci est très normal. Sans cette projection de l'imagination, l'individu n'aurait aucune motivation pour faire son testament. Il ne faut cependant pas exagérer. Que votre personne continue dans vos biens pour qu'ils soient distribués à qui vous choisirez, soit! Il ne faut pas pour autant espérer continuer à gérer vous-même vos biens après votre décès! Nous supposons que vous n'y réussiriez pas trop de toute façon. Vos héritiers sentiraient continuellement une présence sourde qui créerait une entrave à leur liberté d'action.

Nous sommes loin d'être convaincus de la validité réelle de certaines conditions exigées par le testateur. La loi stipule qu'en toutes occasions les clauses contre l'ordre public ou contre les bonnes moeurs sont réputées n'être pas écrites.

Un conjoint donne, par testament, un immeuble à sa tendre moitié, en spécifiant qu'advenant son remariage, l'immeuble appartiendra alors en toute propriété aux enfants. La qualité douteuse de cette ligne de pensée laisse supposer que cette clause va contre l'ordre public, en ce sens qu'elle atteint directement la liberté individuelle de la veuve. Le mariage est un droit naturel et fondamental qui appartient à toute personne ayant les qualités voulues pour ce faire et personne ne peut être «puni» pour le seul fait d'exercer un droit qui lui est naturel et inaliénable. Vous ne pourriez pas non plus faire un legs en faveur d'un héritier à la condition qu'il devienne végétarien (ne mange plus de viande). Le legs serait valide mais la condition inexistante, car le droit à la nourriture de votre choix est aussi une liberté inaliénable.

Revenons à ce conjoint qui aurait hérité d'un immeuble à la condition qu'il ne se remarie pas. Que dire alors s'il opte pour l'union libre? De plus, il n'aurait pas la faculté de vendre l'immeuble parce que le notaire lui ferait remarquer:

«Vous êtes propriétaire de l'immeuble, mais ne pouvez pas le vendre; car il faut attendre votre décès pour savoir si vous vous serez remarié. En effet, le testament de votre conjoint stipule qu'advenant votre remariage, l'immeuble appartiendrait automatiquement à vos enfants.»

Nous ne connaissons aucune jurisprudence qui ait apporté une réponse claire à toutes ces questions. Ce qui s'est toujours passé dans la réalité, c'est que la veuve ne se remariait tout simplement pas; elle demeurait seule comme une «grande fille», ou bien elle vivait en union libre, comme on dit. Pourquoi forcer son épouse à agir ainsi?

Tous les juristes (le notaire en est un) ont maintes fois entendu leurs clients « mâles» leur dire qu'ils donnaient tous leurs biens à leur épouse, mais qu'ils refusaient carrément que cette dernière se remarie «car, disaient-ils, je ne suis pas intéressé à ce qu'un autre vienne prendre ma place et profite de tous mes biens, «enjôle» mon épouse pour tout dépenser ce que j'ai gagné. Si ma femme se remarie, libre à elle, mais dans ce cas tous mes biens iront à mes enfants, parce que je ne veux pas qu'un autre gars vienne jouer dans mes affaires.»

C'est une manière polie d'exprimer une certaine jalousie. Le même raisonnement s'exprimera chez la femme dans les termes suivants: «S'il pense qu'une autre femme viendra se servir dans mes bijoux, ma lingerie, mes fourrures, toutes mes oeuvres d'artisanat, mieux vaut pour lui qu'il se détrompe tout de suite.»

Nous appuyons un testateur qui devrait protéger un héritier psychologiquement défavorisé. L'enfant atteint d'une maladie incurable mérite sûrement l'aide matérielle de ses parents. Les travaux de nos chercheurs médicaux sont souvent couronnés de succès mais la lutte contre la maladie est longue et ardue. Dans certains cas, il est de bon aloi d'ajouter des clauses testamentaires spéciales, pour subvenir à des besoins particuliers dont parfois le testateur est le seul à être informé.

Si vous voulez insérer des clauses semblables dans votre

testament, consultez un expert en la matière, un notaire qui jugera de leur légalité.

Survivre après son décès? Oui, laisser aux êtres chers un héritage spirituel et matériel. Là doit s'arrêter la vision «*post mortem*» en ce qui concerne vos biens matériels et les proches qui vous survivront. Laissez à ces derniers leur entité propre et leur liberté d'action.

Après tout, si quelqu'un mérite d'hériter, ne mérite-t-il pas aussi qu'on lui fasse confiance?

Quant à nous, nous ne sommes pas maîtres de la ligne de pensée d'un testateur et nous la respectons puisqu'elle est le reflet de sa personnalité.

9.

Quelle sorte de testament faut-il faire?

Quelle sorte de testament faut-il faire? La réponse à cette question variera selon la personne à qui vous la poserez. Si, par exemple, vous voulez savoir quelle marque de réfrigérateur est la meilleure, la réponse dépendra de la personne ou du manufacturier à qui vous vous serez adressé. Vous conclurez d'après les réponses que vous aurez reçues que tous les réfrigérateurs sont les meilleurs, qu'ils sont tous de qualité inégalable et donnent tous le maximum de satisfaction possible.

Pour aborder un sujet aussi délicat que votre testament, un sujet si lourd de conséquences, nous devons être le plus objectif possible. Pour ce faire, nous nous limiterons à exposer les qualités et les défauts des différentes méthodes. Vous choisirez vous-même celle qui convient à vos besoins et à vos moyens. Veuillez bien noter que pour certaines personnes, le coût d'un testament, par exemple, constituera un empêchement, alors que pour d'autres cet aspect n'aura aucune importance. C'est à vous de peser le pour et le contre de chaque type de testament, d'en déceler les qualités et les défauts eu égard à votre situation personnelle, monétaire, professionnelle, juridique, etc.

Le testament authentique (fait devant notaire)

1. Qualités et avantages

- écrit par un notaire expert en cette matière, selon les instructions personnelles du testateur;
- exclusivité des services d'un professionnel du droit;
- s'applique aussi bien à des cas simples qu'à des situations compliquées;
- garde et conservation garanties par le notaire;
- authentique, il fait preuve de son contenu;
- aucun frais de vérification à la cour puisqu'il n'a pas à être vérifié ni prouvé à la cour.

2. Coût

- minimum de 60 $ selon le tarif des notaires du Québec. *Coût réel:* entre 60 $ et 100 $ pour un testament standard. Les honoraires sont établis selon la complexité et l'importance du testament.

3. Enregistrement

- obligatoire, inscription au Registre central des testaments de la Chambre des notaires;
- coût: inclus dans le prix du testament.

4. Désavantages

- peut paraître cher au consommateur moyen;
- déplacements du testateur pour se rendre chez le notaire, une ou deux fois;

- frais additionnels si le testament est fait à la maison ou à l'hôpital;
- complications si utilisé à l'étranger (autres pays ou autres provinces canadiennes); dans ce cas, il faut obtenir une preuve supplémentaire d'authenticité pour un pays de droit latin, ou une transformation sous la forme anglaise pour des pays (ou provinces) de droit anglo-saxon (par exemple, la «Surrogate Court» pour l'Ontario et la «Probate Court» pour la Colombie britannique).

5. *Temps requis*
   - selon la disponibilité du notaire et du testateur.

L'Autotestament (sous la forme anglaise, deux témoins)

1. *Qualités et avantages*
   - formule écrite par des experts du droit pour une situation simple;
   - perfection du texte testamentaire;
   - difficilement contestable car signé devant deux témoins;
   - peu onéreux, aucun frais additionnel si le testament est fait à la maison ou ailleurs;
   - aucun déplacement du testateur;
   - facilité d'exécution, aucune histoire personnelle à conter à qui que ce soit;
   - utilisable tel quel en pays étrangers ou dans les autres provinces canadiennes dès la vérification à la Cour supérieure, sans autre formalité.

2. *Coût*
   - 24 $.

3. Enregistrement

- facultatif;
- garde de l'original et conservation garanties par l'Autotestament Inc.;
- Coût: 5 $.

4. Désavantages

- ne s'applique pas aux situations compliquées;
- doit être vérifié à la cour, dont les frais varient entre 50 $ et 150 $ incluant ou non, selon le cas, les frais de cour de 45 $. Ces frais sont payés par la succession et non par le testateur;
- peut être perdu ou détruit si le testateur ne le fait pas enregistrer à l'Autotestament Inc. (il peut quand même être déposé dans les minutes d'un notaire, puis automatiquement enregistré au Registre des testaments de la Chambre des notaires, ou être déposé chez un avocat pour être enregistré au Registre du Barreau).

5. Temps requis

- à la discrétion du testateur, plus les délais postaux pour l'expédition des informations et de la formule testamentaire.

Le testament sous la forme anglaise et le testament olographe

1. Qualités et avantages

- gratuit;
- tout dépend des capacités légales du testateur;
- peut être fait au moment et à l'endroit qui conviennent au testateur.

2. *Coût*

- gratuit.

3. *Enregistrement*

- aucun, à moins qu'il ne soit déposé chez un notaire ou chez un avocat pour être enregistré soit au Registre des testaments de la Chambre des notaires, soit au Registre des testaments du Barreau (avocats);
  Coût: ce dépôt coûte entre 50 $ et 75 $.

4. *Désavantages*

- doit être vérifié à la cour; coût: voir ci-dessus;
- pas de sécurité quant à la conservation (à moins d'être déposé chez un notaire ou un avocat, voir n°3 ci-dessus;
- qualité légale douteuse.

5. *Temps requis*

- à la discrétion du testateur.

10.

La nature et le fonctionnement du testament authentique (notarié)

C'est le notaire lui-même qui se charge de rédiger le testament pour le testateur. Ce spécialiste du droit saura comprendre et transcrire toutes les explications en les agençant de façon telle que le testament reflète exactement les volontés du testateur. Il est tout de même impérieux de renseigner notre lecteur sur la nature et le fonctionnement de ce genre de testament afin qu'il soit conscient de sa valeur.

Quelle que soit la forme du testament, la loi attache une grande importance à ce document et l'entoure de précautions multiples en insistant sur les formalités de son exécution. Le testament notarié n'échappe pas à ces précautions ni à ces formalités. Il doit être reçu par deux notaires ou par un notaire en présence de deux témoins; tous doivent être présents ensemble à la lecture et à la signature du testament: testateur, témoins et notaires. De plus, mention de l'accomplissement de ces formalités doit être faite dans l'acte lui-même.

Le testament notarié contient trois parties très distinctes les unes des autres: l'intitulé, le corps de l'acte (le testament lui-même) et la clôture du testament. Retenez qu'un testament notarié étant un document authentique, il fait preuve par lui-même. En conséquences, aucune vérification ni preuve n'est requise à la cour à la condition que les formalités exigées par la loi aient été accomplies par le notaire, ce dont vous ne devez pas douter.

Nous admettons qu'un testament notarié demeure une composition française et que la phraséologie ou le style, dépendant du notaire, peut varier en ce qui concerne le corps du testament. Quant aux formalités de l'intitulé et de la clôture, elles seront sensiblement les mêmes d'un notaire à l'autre.

Vous devez fournir au notaire les renseignements nécessaires et selon ses disponibilités, il peut rédiger votre testament sur-le-champ (c'est peu fréquent) ou ultérieurement.

Intitulé du testament

Cette section du testament comprend les éléments de base du document: la date, le nom du notaire instrumentant (celui qui rédige et reçoit le testament), l'identification du notaire assistant ou des deux témoins selon le cas, puis l'identification du testateur comprenant: le nom, le numéro d'assurance sociale, la date de naissance, l'état civil et le régime matrimonial.

Une phrase dans le style de celle-ci est alors inscrite: «Lequel, M. X, a requis le notaire soussigné en présence des témoins ci-dessus nommés, de recevoir son présent testament qu'il a fait comme suit:...» Disons que cette phrase, ou le style de cette phrase, variera d'un notaire à l'autre.

Corps du testament

À ce moment-ci, le testament rédigé par le notaire est écrit à la première personne du singulier car c'est maintenant le testateur lui-même qui parle. Ce fait est très important car c'est le testateur lui-même qui fait son testament, le notaire n'intervenant que pour rédiger les dernières volontés de celui-ci. C'est la raison pour laquelle le mot «je» est toujours employé: «je» révoque mes testaments antérieurs, «je» donne, «je» nomme comme exécuteur testamentaire..., «je» désire telle sorte de funérailles, etc.

Clôture du testament

Cette troisième partie est de rigueur dans tous les testaments notariés. Le notaire doit suivre les formalités exigées par la loi et, de plus, écrire et certifier dans le document lui-même que ces formalités ont été accomplies. À défaut de relater ce fait, le testament notarié devient nul (notez qu'il peut être valide sous une autre forme).

Il doit être relaté clairement que le testament a été lu par le notaire lui-même au testateur en présence des témoins et que tous, le testateur ou la testatrice, le ou les notaires et les témoins s'il y a lieu, ont signé en présence les uns des autres en même temps.

Le lecteur doit bien comprendre que le testament notarié doit être lu en entier et à haute voix par le notaire. Si vous vous rendez compte de l'inobservance de cette formalité essentielle, refusez de signer le testament.

Pour satisfaire la curiosité du lecteur, nous nous permettons de reproduire textuellement ici l'exemple d'un intitulé et d'une clôture de testament authentique en vous rappelant que cet exemple représente des phrases stylisées et une certaine solennité qui ne seront pas nécessairement les mêmes d'un notaire à l'autre. Nous ne voulons aucunement nous immiscer dans une phraséologie qui demeure personnelle au notaire. Un notaire voudra porter une «redingote» alors qu'un autre sera plus «sportivement» vêtu. Tous deux demeurent des spécialistes du droit.

«LEQUEL, ayant toutes les qualités requises par la loi pour tester ainsi qu'il a paru aux dits notaire et témoins, a requis le notaire X de recevoir son présent testament qu'il a fait comme suit, savoir:

Je... (*se place ici le texte du testament lui-même*)

Ce fut ainsi fait suivant les instructions personnelles du testateur.

Et le dit testament fut ensuite lu par le notaire X en présence des témoins ci-dessus nommés, au testateur qui a déclaré tout bien entendre et comprendre et persévérer dans le présent testament comme contenant fidèlement l'expression de ses dernières volontés.

Dont acte fait et passé en l'étude du notaire soussigné sous le numéro .... de ses minutes.

Et, après lecture faite comme susdit, le testateur et les dits notaire et témoins ont signé en présence les uns des autres à la même séance.»

Terminons maintenant ce chapitre en reproduisant textuellement cet article du Code civil concernant les formalités que nous vous avons expliquées:

843. Le testament en forme notariée ou authentique est reçu devant deux notaires, ou devant un notaire et deux témoins; le notaire en leur présence et avec eux signe le testament ou déclare ne le pouvoir faire après que lecture lui en a été faite par l'un des notaires en présence de l'autre, ou par le notaire en présence des témoins. Il est fait mention à l'acte de l'accomplissement de ces formalités.

La Loi du Notariat possède elle aussi son article n° 43 qui se lit comme suit:

> «(Règles impératives) Les règles édictées à l'article 843 du Code civil concernant les testaments authentiques demeurent impératives, nonobstant les dispositions de l'article 42.»

Pour terminer, notons qu'un testament notarié peut être employé pour un sourd, un sourd-muet, un aveugle, un illettré (ne sachant pas signer), ainsi que pour un impotent, un malade, un infirme qui serait incapable de signer. Le notaire verra alors à observer les prescriptions spéciales prévues par la loi dans de tels cas. Toutefois, le notaire est toujours obligé de lire le testament à haute voix, le testateur fût-il sourd.

11.

Le fonctionnement de l'Autotestament

Vous connaissez maintenant les principales formes de testament. Vous savez aussi qu'il n'y a pas lieu d'être pris de panique, qu'en réalité cette tâche n'est pas insurmontable puisque vous pouvez choisir parmi les différents types de testament que le législateur a mis à votre disposition.

Suite à une demande d'information (voir la liste des adresses utiles à la fin du volume), le consommateur reçoit gratuitement par la poste les informations écrites concernant ce nouveau service, le tout accompagné d'un certificat de remboursement garanti et d'un questionnaire-réponse lui permettant de choisir entre six formules testamentaires proposées, dont une sera sûrement adaptée à ses besoins; il pourra même choisir une formule de codicille pour éventuellement faire une correction ou un addenda à un testament déjà existant, fût-il notarié.

Cette formule testamentaire est en réalité un testament fait sous la forme anglaise (c'est un terme juridique qui signifie testament signé devant deux témoins), genre de testament qui est loin d'être nouveau car il a toujours été prévu dans les dispositions du Code civil depuis l'existence de celui-ci en 1867. Il n'a cependant jamais été mis à la mode dans la province de Québec quoique ce soit pratiquement le seul qui existe dans les faits dans les autres provinces canadiennes et dans les pays anglo-saxons incluant les États-Unis.

Après cette première étape (obtention des renseignements généraux par la poste), si le consommateur choisit de faire son testament suivant cette méthode, il fait alors parvenir son questionnaire-réponse dûment complété et son paiement à L'Autotestament Inc. La deuxième étape: il reçoit alors par la poste la formule testamentaire qu'il a choisie. Cette formule, sur papier légal, celui obligatoirement employé pour un acte notarié, contient, sur un talon gauche, les instructions simples permettant de compléter le testament qui est sur la feuille de droite: on y inscrit les lieu, date, dons spéciaux le cas échéant, les noms des légataires et des exécuteurs testamentaires, ainsi que les renseignements généraux facilitant le règlement de la successsion tels les numéros d'assurance sociale, la date de naissance, le lieu de naissance, l'état matrimonial, l'adresse.

Quant à la troisième étape, elle est facultative et nous référons notre lecteur au chapitre 13 intitulé «L'enregistrement du testament et les registres testamentaires». À ce moment, il demeure totalement libre ou de garder l'original du testament chez lui, ou de le placer dans un endroit sûr à l'épreuve de la perte ou de la destruction tel un coffret de sûreté à la banque, ou de le retourner à L'Autotestament Inc. pour enregistrement et garde à l'épreuve de la destruction, ou encore de le déposer chez un notaire ou un avocat.

Cette forme de testament permet au consommateur de s'en tirer honorablement et à bon compte. Le citoyen moderne doit suivre l'évolution de son temps; il constate aujourd'hui qu'il peut faire lui-même ce qui autrefois paraissait impossible et réservé à des spécialistes. Il réalise qu'il peut lui-même faire beaucoup de choses et que s'il veut se prendre en main, il a maintenant l'outil pour y arriver. Le citoyen a le droit d'être bien informé et de s'occuper lui-même de ses propres affaires.

Vous verrez dans le chapitre 12 intitulé «La vérification des testaments» que le testament sous forme anglaise (deux témoins) et le testament olographe doivent être vérifiés et prouvés à la Cour supérieure. L'Autotestament étant un testament signé devant deux témoins, il doit être vérifié et prouvé tel que vous le verrez dans le chapitre 12.

Cependant, comme une vérification de testament demande l'affidavit d'un des deux témoins, l'Autotestament Inc. a prévu ce problème et la formule testamentaire comprend l'affidavit d'un des deux témoins au testament de façon telle que lorsque les instructions de l'Autotestament sont suivies en totalité, après le décès du testateur, il ne devient plus nécessaire de retracer un des deux témoins au testament puisque l'affidavit a été signé en même temps que la signature du testament. À ce moment, après le décès du testateur, même si les deux témoins sont eux-mêmes décédés, la preuve a été terminée au moment de la signature du testament et la vérification en est d'autant facilitée.

De cette façon, l'Autotestament a corrigé un des inconvénients reliés à cette forme de testament, soit celui de retrouver un des deux témoins après le décès du testateur.

En résumé, lorsque toutes les prescriptions stipulées par l'Autotestament sont observées à la lettre, le testateur peut certainement dormir tranquille.

Les formules préparées par l'Autotestament Inc. ne sont disponibles qu'au siège social de la compagnie pour toute la province de Québec (voir l'adresse au chapitre 26).

12.

La vérification des testaments

Seuls les testaments faits sous la forme anglaise et les testaments olographes doivent être vérifiés et prouvés à la Cour supérieure du district du domicile du testateur au moment de son décès. Le testament notarié ne requiert pas cette formalité.

Les raisons sont simples. Lorsque vous procédez au règlement d'une succession, il faut fournir à tous les intéressés une copie du testament. Qui fera cette copie, et comment faire des copies si vous ne possédez qu'un original? Il faut toujours que l'héritier prouve son droit de propriété sur les biens qu'il acquiert par héritage. Le seul moyen de faire cette preuve est de fournir son titre d'acquisition, c'est-à-dire le testament.

Chacune des personnes ou chacun des organismes suivants exigera une copie du testament: le ministre du Revenu du Québec, chaque banque, caisse populaire ou institution financière concernée, chaque compagnie d'assurance-vie pour les assurances payables aux héritiers légaux, le bureau d'enregistrement concerné s'il faut transférer la propriété d'un immeuble, le bureau des véhicules automobiles, s'il y a lieu, etc.

Si le testament est notarié, les copies sont faites par le notaire lui-même moyennant une rémunération minimum de 12 $ par copie. Quant aux deux autres formes de testament, il faut, pour faire les copies du testament, une personne autorisée à cet effet. Par des procédures simples, l'original du testament est porté à la Cour afin qu'un officier de cette Cour puisse faire et délivrer le nombre de copies requis. L'original du testament est alors remis au Protonotaire de la Cour supérieure qui vérifie si le document présenté a au moins «l'air» d'un testament, c'est-à-dire s'il a été écrit à la main et signé dans le cas d'un testament olographe, et s'il porte la signature de deux témoins s'il s'agit d'un testament sous la forme anglaise. Ce n'est pas à ce moment-là qu'on juge si le testateur ou les témoins avaient tous les capacités requises par la loi, soit pour tester, soit pour être témoins; ceci relève de la contestation du testament (voir le chapitre 14 sur «Les contestations de testaments»).

Après avoir constaté que le document en question avait la forme voulue pour être «testament», le protonotaire le dépose aux archives de cette Cour et en délivre des copies à toutes les personnes intéressées.

Cette procédure de preuve et vérification d'un testament est simple et ne requiert que trois documents: une requête, un affidavit à l'appui de la requête et un affidavit d'un témoin connaissant l'écriture et la signature du testateur (testament olographe), ou d'un des deux témoins du testament sous la forme anglaise.

Nous reproduisons ici les textes des documents requis dans cette procédure; vous verrez comme ce n'est pas compliqué.

Le testament olographe

1. Requête

Nom, occupation et domicile du requérant.

Objet: La Succession de «X» avec son occupation et son adresse au moment du décès.

Le requérant expose ce qui suit:

a) «X» est décédé à... le... tel que démontré au certificat de décès produit avec cette requête;

b) «X» a laissé un testament olographe en date du... tel que démontré par la production de l'original de ce testament produit avec la présente requête;

c) Aux termes de ce testament, le dit «X» a nommé votre requérant son exécuteur testamentaire;

d) Il est nécessaire que le testament soit vérifié par cette Cour;

POUR CES MOTIFS, Plaise à la Cour de vérifier le testament de «X» décédé à... le... afin que l'original de ce testament soit déposé dans les archives de cette Cour et que des copies certifiées en soient délivrées aux intéressés.

2. Affidavit

À toute requête qu'on présente à la Cour, il faut annexer un affidavit comme celui-ci:

Je, soussigné, «Y», occupation... adresse... déclare sous serment ce qui suit:

a) Je suis le requérant dans la présente requête;

b) Tous les faits allégués sont vrais.

3. Affidavit en reconnaissance d'écriture et de signature

Je, soussigné, «Z», occupation... adresse... déclare sous serment ce qui suit:

a) Je ne suis ni parent, ni allié de «X» (le testateur), de ses héritiers ou légataires et je ne suis pas intéressé dans sa succession.

b) Je connais l'écriture et la signature du dit «X» (le testateur).

c) Le testament du dit «X» en date du... que j'ai examiné est écrit en entier et signé de sa main au meilleur de mes connaissance et croyance.

Le testament sous la forme anglaise

Pour la vérification de ce genre de testament, les procédures sont les mêmes que dans le cas du testament olographe. Au lieu d'écrire dans la requête «testament olographe», on écrit simplement «testament sous la forme anglaise».

L'affidavit du requérant est le même.

Quant à l'affidavit du témoin, il sera de préférence signé par l'un des deux témoins du testament. En voici le texte:

Je, soussigné, «Z», occupation... adresse... déclare sous serment ce qui suit:

a) Je connais «X», le testateur, demeurant à... étant la personne qui a signé le testament.

b) Je suis l'un des témoins qui ont signé comme tels le testament de «X» fait suivant la forme dérivée d'Angleterre portant la date du...

c) Le dit testament a été signé par «X» qui a alors reconnu cette signature en présence de (nom de l'autre témoin) et de moi-même.

Si l'on ne peut retracer aucun des deux témoins ou si le testament (sous la forme anglaise ou olographe) n'est pas daté, on a recours, dans l'un et l'autre cas, à un affidavit spécial.

Le testament sous la forme anglaise qui a été fait avec la méthode et les instructions complètes de l'Autotestament dont toutes les directives ont été suivies ne présente pas l'inconvénient d'obliger l'exécuteur testamentaire à retracer un des deux témoins au testament, puisqu'au moment de la signature du testament, un de ces deux témoins a été assermenté et la preuve est ainsi terminée. Lorsque ce testateur mourra, son exécuteur testamentaire n'aura plus qu'à faire la requête avec l'affidavit à l'appui de sa requête, rien d'autre. Il n'a pas à retracer un des deux témoins puisque cet affidavit du témoin a été fait au moment de la signature du testament.

Cette procédure de preuve et vérification, fort simple, peut être faite par le citoyen lui-même; mais il doit respecter certaines formalités administratives de la Cour dont voici la liste:

- Présenter la requête et les affidavits écrits sur un bon papier de format 8 1/2 x 14 po.
- Tous les documents ne sont écrits que sur un seul côté de la feuille.
- La requête et les affidavits sont présentés avec l'original du testament et un certificat de décès.

Les honoraires exigés actuellement par la Cour sont de 45 $, incluant deux copies du testament. Chaque copie additionnelle coûtera, selon la longueur du testament, environ 3,00 $.

Si vous confiez toutes ces procédures à un notaire, les délais seront moins longs, car ce dernier connaît tous les rouages de l'administration judiciaire. Vous devrez bien sûr lui payer les honoraires requis. L'échelle des honoraires des notaires du Québec prévoit des frais minimaux de 75 $, incluant l'affidavit, selon l'importance. Dans les faits, les honoraires réels seront d'environ 150 $, incluant les déplacements du notaire, s'il y a lieu. Rappelez-vous que tous ces frais sont payés par la succession, ou les héritiers, et non par le testateur. La personne responsable du règlement de la succession décidera elle-même des moyens à prendre.

[illegible] nécessaire pas [illegible] en [illegible] la [illegible] de [illegible] (ou [illegible]) [illegible] de [illegible] lieu, [illegible] la [illegible] de [illegible] du [illegible].

Cette [illegible] preuve [illegible] [illegible] par [illegible] [illegible] de la [illegible] [illegible] :

« [illegible] la [illegible] [illegible] pas [illegible] » ;

« [illegible] les [illegible] sont écrits [illegible] par un seul [illegible] le [illegible] » ;

« [illegible] et [illegible] la [illegible] [illegible] » ;

[illegible] [illegible] de [illegible] [illegible] [illegible] [illegible] [illegible] [illegible] la [illegible] [illegible].

[illegible] [illegible]

13.

L'enregistrement du testament et les registres testamentaires

Il y a trois registres testamentaires différents:

- le Registre des testaments de la Chambre des notaires;
- le Registre des testaments du Barreau;
- le Registre testamentaire de l'Autotestament.

Tout d'abord, qu'entend-on par «enregistrement» du testament? Le mot «enregistrer» veut dire faire une inscription dans un registre. Il peut s'agir de n'importe quelle sorte de registre, pour n'importe quoi. Par exemple, la loi oblige tout le monde à enregistrer une naissance; les inscriptions pertinentes sont alors consignées dans un registre, et on dit que la naissance est enregistrée.

Lorsque vous vous portez acquéreur d'un immeuble, vous devez faire enregistrer votre contrat au bureau d'enregistrement. Allez voir ce bureau, il est plein de registres: ça déborde de livres... Cette procédure d'enregistrement est certainement la plus connue. C'est une procédure qui rend un document *public*, c'est-à-dire que personne ne peut plus l'ignorer pas plus qu'on ne peut ignorer la loi. Personne ne peut plaider ignorance de la loi. Il en va de même pour l'enregistrement d'un acte concernant un immeuble (ventes, hypothèques, etc.). Dès qu'un document est enregistré au bureau d'enregistrement, ce document devient public et personne ne peut l'ignorer. Ainsi, si votre hypothèque est enregistrée, vous pouvez dormir en paix.

En ce qui concerne l'enregistrement des testaments, retenez qu'il ne s'agit pas de cette forme d'enregistrement des droits réels. Évidemment, si votre testament constitue la preuve que vous êtes propriétaire d'un immeuble, il faudra l'enregistrer comme un contrat d'hypothèque puisqu'il devient l'acte d'acquisition de l'immeuble. Encore une fois, il n'est pas question de cela ici.

Ce qui importe au citoyen quant à l'enregistrement de son testament, c'est d'avoir la certitude que le document ne sera ni perdu, ni détruit, et qu'on pourra facilement le retrouver après son décès pour témoigner de ses dernières volontés.

Un peu d'histoire pour mieux comprendre pourquoi il est nécessaire aujourd'hui de posséder des registres d'enregistrement des testaments. Le temps où tout le monde se connaissait est révolu depuis longtemps. Nous sommes loin de la colonie française du XVIIe siècle!

Le notaire est apparu très tôt dans l'histoire du peuple canadien-français, pas longtemps après la venue du missionnaire; il a d'ailleurs toujours été considéré comme une sorte de confesseur. Il faisait partie de la vie quotidienne du citoyen, il était l'homme de confiance, au même titre que le curé du village et le médecin.

Très tôt dans la colonie, le notaire devint l'homme clé qui régit les conventions indispensables à tout groupe de citoyens, fussent-ils des colonisateurs. Il fallait que la vie s'organise et puisse suivre son cours; et qui dit vie sociale dit religion, médecine et législation.

La famille, surtout, avait recours aux services du notaire; en particulier pour le contrat de mariage et pour le testament.

Les citoyens d'alors étant parfois très peu instruits, il était indispensable qu'au moins un d'entre eux pût s'occuper des destinées juridiques et testamentaires de chacun.

Le notaire est donc devenu le spécialiste des testaments et des successions. En fait, tous les notaires de la province, individuellement, recevaient des testaments authentiques des citoyens. Aucune planification n'existait pour retracer un testament en cas de décès, si on n'en trouvait pas une copie dans les papiers personnels du testateur ou dans un endroit prévu à cette fin par le testateur.

Lorsque quelqu'un mourait, que fallait-il faire? Il fallait consulter le notaire du défunt (s'il en avait un!) pour savoir s'il possédait le testament en question. Advenant une réponse négative, ou si le type n'avait pas de notaire, il fallait faire des recherches dans les différentes études notariales des environs du domicile du défunt, là où ce dernier exerçait ses activités. Si c'était un voyageur de commerce, il fallait que l'intéressé «voyage» et consulte les notaires résidant le long du parcours habituel emprunté par le disparu.

Plusieurs braves citoyens allaient faire leur testament chez un notaire très éloigné de leur demeure pour être certains qu'il serait à l'abri des curieux. Plusieurs notaires ont été témoins de cas où, après la signature du testament, le testateur refusait d'emporter une copie du document parce que, disait-il, «si j'ai pris la peine de venir si loin pour faire mon testament, c'est que j'ai peur que le notaire de chez nous raconte mon histoire à tout le monde». (C'est difficile d'aller se confesser à son curé quand c'est avec lui que vous passez de longues soirées à jouer aux cartes, surtout si c'est vous qui avez vidé le tronc de saint Antoine de Padoue.) Le notaire lui demandait alors comment ses héritiers feraient pour retrouver ce fameux testament, et il ajoutait: «Monsieur, si vous ne voulez pas de copie, laissez au moins un indice dans vos papiers, par exemple la carte d'affaires du notaire, une enveloppe, etc.»

Des successions ont été réglées sans que le notaire chargé du règlement ne réussisse à retracer un testament, même quand les héritiers étaient certains que la personne en question en avait fait un.

Un homme que nous avons connu a péri dans un incendie à Montréal. Il avait vécu quelques années dans les Laurentides et était ensuite venu s'installer près de ses neveux et nièces qu'il aimait beaucoup. Il avait fait un testament devant notaire en cachette et sans en prendre une copie. Les héritiers présomptifs avaient tous la certitude qu'il existait un testament puisqu'il leur avait toujours dit que tous ses papiers étaient en ordre, que toutes ses affaires étaient à jour et qu'au moment de son décès tout le monde s'y retrouverait sans complications: il suffirait de regarder dans son portefeuille pour trouver le nom du notaire qui possédait son testament. Mais il était mort dans un incendie... avec ses papiers et son secret.

Les neveux et nièces cherchèrent chez tous les notaires de Montréal et ne trouvèrent aucun testament. Ils en vinrent à croire que ce n'était peut-être que du chantage de la part de leur oncle pour obtenir un bon traitement de ses neveux et nièces... On a déjà vu ça!

En fait, on retraça le testament dans les Laurentides grâce à un neveu qui se souvint que son oncle y avait déjà habité.

Donc, comment procédait-on à cette époque pour trouver un testament? En dernier recours, le notaire chargé du règlement d'une succession faisait paraître, dans *La Revue du notariat*, une demande de recherche de testament. Si un notaire avait reçu un testament d'un monsieur X, on le priait de communiquer avec telle personne chargée du règlement de la succession.

À la fin des années 50, une proposition intéressante a été faite à la Chambre des notaires et retenue comme base utile à la protection du citoyen: la création d'un Registre central des testaments notariés. Le Registre central des testaments de la Chambre des notaires existe donc depuis le 1er janvier 1961. Voici comment il fonctionne.

Le Registre central des testaments de la Chambre des notaires

Le principe est simple: dans les dix jours suivant la fin de chaque mois, tout notaire de la province doit faire parvenir au Registre central des testaments la liste de tous les testaments, codicilles et révocations qu'il a faits durant le mois qui vient de se terminer. Lorsqu'on dit que le notaire fait enregistrer le testament, cela ne veut pas dire qu'il fait parvenir copie de ce testament. Il fait parvenir les renseignements qui serviront à retracer le testament au moment voulu.

Lorsque la Chambre des notaires, par l'intermédiaire de son registre, retrace un testament, elle indique à l'intéressé l'endroit où il pourra se procurer une copie de ce testament. Il fait parvenir les renseignements qui serviront à retracer le testament au moment voulu.

Lorsque la Chambre des notaires, par l'intermédiaire de son registre, retrace un testament, elle indique à l'intéressé l'endroit où il pourra se procurer une copie de ce testament, c'est-à-dire les nom et adresse du notaire qui a reçu le testament.

Les renseignements nécessaires à la bonne utilisation de ce registre sont fournis par le notaire qui a reçu le testament en question; ce sont les nom, adresse et numéro d'assurance sociale du testateur, ainsi que la date du testament.

La Chambre des notaires, par ce Registre central, compile alors les informations reçues. Il est donc toujours possible aujourd'hui de retracer un testament authentique, même si le testateur est décédé sans laisser les informations requises à ses héritiers, pour peu cependant que le notaire chargé du règlement de la succession soit prudent et fasse la recherche appropriée.

Les frais d'inscription à ce registre, ordinairement compris dans les honoraires du notaire, sont de 4 $ par inscription. Lorsqu'on doit y faire une recherche pour retracer un testament, les frais sont de 10 $ par recherche.

Ce registre, où sont inscrits tous les testaments faits par les notaires de la province, constitue un précieux outil pour le citoyen québécois puisqu'il assure sa protection s'il fait un testament devant notaire. Le testateur n'a pas à s'occuper de l'enregistrement de son testament puisque tout est prévu par la loi qui oblige le notaire à inscrire au Registre les testaments qu'il a reçus durant le mois. Tout ce processus se fait sous l'oeil vigilant des inspecteurs de la Chambre des notaires. Toute faute ou négligence de la part du notaire entraîne des sanctions sévères.

Cependant, une telle entreprise suppose un mécanisme complexe qui entraîne parfois des problèmes d'administration. Après que le notaire a fait ses inscriptions dans les dix jours suivant la fin du mois, il faut ensuite procéder à la classification de toutes les données, ce qui prend ordinairement un autre mois. Le Registre ne peut pas donner tout de suite une réponse à une demande de recherche.

Prenons un exemple. On fait une demande de recherche de testament le 15 janvier. En principe, la personne décédée a pu faire un testament entre le 1er et le 15 janvier. Il faudra donc attendre jusqu'au 10 mars avant d'avoir une réponse absolument certaine, puisque le notaire a jusqu'au 10 février pour faire parvenir ses inscriptions, et que la compilation des données peut ensuite prendre une trentaine de jours.

Depuis le 1er octobre 1983, ce registre fonctionne sur ordinateur. Ce nouveau système permet de traiter plus efficacement les demandes de recherches et d'émettre les certificats provisoires, demandés par les notaires, dans un délai moyen de trois jours.

Autre point important: la Chambre des notaires, qui ne veut ou ne peut être tenue responsable des renseignements fournis, inscrit la mise en garde suivante sur ses rapports de recherche:

> «Le fait pour l'Ordre de donner des renseignements relatifs aux testaments, codicilles ou révocations de testament reçus en minute par les notaires ou déposés chez eux par des testateurs n'engage pas la responsabilité de l'Ordre en cas d'erreur ou d'omission (a. 132, L.N., L.R.Q., C.N.-2).»

Toutes recherches testamentaires concernant un testament authentique (notarié) peuvent être faites par l'intermédiaire de tout notaire de la Province de Québec ou directement à:

La Chambre des notaires du Québec
Registre central des testaments
630, boul. Dorchester Ouest, suite 1700
Montréal, Québec
H3B 1T6
Téléphone: (514) 879-1793
Coût: 10 $.

La demande de recherches doit être accompagnée d'une preuve de décès et contenir les renseignements suivants:

- nom du testateur;
- adresses depuis le 1er janvier 1961;
- date de naissance;
- numéro d'assurance sociale;
- état civil;
- noms du conjoint actuel et des conjoints précédents;

- nom du conjoint non marié;
- si célibataire: noms des père et mère, frères et soeurs;
- date du décès.

Le registre des testaments du Barreau (avocats)

Ce registre est entré en vigueur le 1er décembre 1979. Seuls s'y trouvent obligatoirement les actes testamentaires déposés chez les avocats dpuis le 1er décembre 1979. L'avocat chez qui on a déposé un acte testamentaire est tenu d'adresser au registraire, avant le dixième jour de chaque mois, une liste, attestée par sa signature, des actes testamentaires déposés chez lui au cours du mois précédent.

Le fonctionnement de ce registre est le même que celui de la Chambre des notaires. Par conséquent, une recherche testamentaire faite le 24 juillet ne concernerait que les inscriptions enregistrées avant la fin du mois de mai précédent. Le coût d'une recherche est de 10 $ et, comme à la Chambre des notaires, si on veut faire faire une seconde recherche, il faudra en faire la demande et débourser 10 $ de plus.

Le certificat de recherche des testaments donné par le Barreau contient la mention suivante:

«Certificat»

«Je certifie l'exactitude du présent certificat de recherche.»

(SIGNÉ) LE REGISTRAIRE.

Nous ne nous attardons pas à l'explication de ce registre car il est semblable à celui de la Chambre des notaires.

Toutes recherches concernant un testament fait sous la forme anglaise (deux témoins) ou sous la forme olographe peuvent être faites au registre du Barreau, comme suit:

Barreau du Québec
Registre des testaments
445, boul. Saint-Laurent
Montréal, Qué.
H2Y 3T8

Téléphone: (514) 866-3901
Sans frais: 1-800-361-8495
Coût: 10 $.

Les recherches pour ces deux formes de testament peuvent aussi être faites à la Chambre des notaires.

Le registre des testaments de l'Autotestament Inc.

L'Autotestament incite le consommateur à placer son testament en lieu sûr, mais conseille de ne pas le cacher à un endroit où les héritiers auront de la difficulté à le retrouver après son décès. Voilà la raison de l'existence du registre testamentaire de l'Autotestament. Ce registre est indispensable à la bonne marche de l'entreprise et nécessaire à la protection des héritiers et du testateur.

En ce qui concerne ce registre, la procédure est quelque peu différente. La conservation du document lui-même est assurée et l'Autotestament Inc. ne procède qu'à l'enregistrement des testaments faits suivant sa formule. Cette procédure d'enregistrement est facultative et coûte au testateur la somme de 5 $, ce qui lui assure les quatre services spécifiques suivants:

1. Vérification, à savoir si les instructions de l'Autotestament ont été suivies.
2. Garde de l'original du testament dans des voûtes, à l'abri du feu et de la destruction.
3. Indexation dans l'ordre alphabétique et dans l'ordre des numéros d'assurance sociale.

4. Remise d'une copie certifiée avec certificat assermenté d'authenticité permettant au testateur de posséder une copie de son testament.

La qualité primordiale de ce registre est la conservation du testament lui-même et la possibilité de donner une réponse instantanée à une recherche testamentaire. Il n'y a aucun délai puisque l'Autotestament détient l'original du testament.

Ceci constitue un avantage majeur sur les autres registres existants.

Cet enregistrement est facultatif pour le testateur. Le certificat donné indique simplement que la compagnie possède ou non le testament en question au nom d'une personne décédée. Chaque recherche coûte 10 $.

L'Autotestament délivre alors, selon le cas, un des deux certificats suivants:

Réponse affirmative

«Nous, soussignés, certifions que nous détenons l'original du (des) testaments(s) de la personne décédée dont les détails sont ci-dessus décrits, enregistré(s) dans notre Registre testamentaire en force depuis le 1er septembre 1980.»

(suivent les détails du ou des testaments avec la date et le numéro d'enregistrement)

Réponse négative

«Nous, soussignés, certifions que personne ne nous a retourné l'original d'un testament au nom de la personne décédée pour conservation et indexation dans notre Registre testamentaire en force depuis le 1er septembre 1980.»

Toutes recherches testamentaires concernant un

testament fait suivant la formule de l'Autotestament Inc. doivent être adressées à:

L'Autotestament Inc.
Registre testamentaire
29, boul. Lévesque Est
Laval, Québec
H7G 1B3

Téléphone: (514) 669-3510
Coût: 10 $.

Avec une demande de recherches, on doit fournir une preuve de décès et les renseignements suivants:

- nom du testateur;
- adresses depuis juillet 1980;
- date du décès;
- numéro d'assurance sociale;
- date de naissance;
- lieu de naissance;
- nom du conjoint (marié ou non).

Toute personne prudente chargée du règlement d'une succession se doit de consulter les trois registres (Chambre des notaires, Barreau, l'Autotestament) afin de vérifier l'existence d'un testament. C'est toujours le dernier testament existant qui sert à régler une succession.

14.

Les contestations de testaments

Un testament, une succession, fait souvent des heureux, mais provoque aussi des déceptions en entraînant parfois le mécontentement de ceux que le testateur a ignorés dans ses dernières volontés. Tout cela peut engendrer des discordes, des objections, des interprétations personnelles et des contestations. Le testateur doit donc prendre conscience que s'il choisit de faire un testament, il faut qu'il choisisse le moyen infaillible de le faire respecter en totalité et d'éviter tous ces aléas.

Que vous fassiez n'importe quelle sorte de testament, les causes de contestation sont toujours les mêmes. Si quelqu'un est capable de prouver (non simplement de dire ou d'affirmer, mais de prouver) que, par exemple, le testateur n'avait pas les capacités mentales voulues pour faire un testament, qu'il ignorait ce qu'il faisait au moment où il a signé le testament, que la signature du testateur est imitée ou fausse, que le texte lui-même du testament témoigne de l'aliénation mentale du testateur, que le testament dit le contraire de ce que le testateur aurait voulu dire, tout cela représente autant de causes de contestation, que le testament soit fait sous la forme olographe, sous la forme anglaise ou sous la forme notariée.

Évidemment, si le testament est notarié, s'il est signé par deux témoins, la contestation devient beaucoup plus ardue puisque dans ce cas il y a des personnes étrangères qui ont témoigné de la capacité du testateur.

Comment procurer au testateur éventuel, au citoyen moyen, la tranquillité d'esprit? Il faut dire que pour avoir le droit de contester devant un tribunal la validité d'un testament, il faut que la personne ait un intérêt dans cette succession.

Supposons qu'un testateur ait donné tous ses biens à un conjoint de fait (conjoint non marié). Seuls d'autres héritiers éventuels tels le conjoint légal et les enfants, auraient le droit de contester le testament. Dans un tel cas, même si un frère du testateur avait la preuve de la nullité du testament, il n'aurait pas le droit de le contester car de toute façon, qu'il y ait testament ou non, il n'hériterait pas.

Autre exemple. Une dame fait un testament dans lequel elle fait un legs particulier à une de ses soeurs en considération de services rendus. Elle donne le résidu de ses biens à ses enfants en parts égales puisqu'elle est veuve. Mais elle craint en agissant ainsi qu'une autre de ses soeurs ne fasse des pieds et des mains pour contester le testament. À cela nous répondons que personne d'autre que les enfants ne peut contester la validité d'un tel testament, car, là encore, qu'il y ait ou non testament, qu'il y ait ou non legs particulier à une des soeurs de la testatrice, l'autre soeur n'aurait jamais hérité, et en conséquence elle n'est pas admise à contester de quelque façon que ce soit le testament en question.

En résumé, seules les personnes ayant un intérêt dans une cause civile peuvent recourir à une procédure judiciaire, personne d'autre.

On peut aussi contester la validité d'un testament en

alléguant que les formalités essentielles n'ont pas été observées. Chacune des trois formes principales de testament est soumise à certaines formalités essentielles que le notaire connaît bien. Comme le citoyen qui désire faire son testament lui-même n'aura pas recours à ce genre de testament, il n'est d'aucun intérêt de donner ici toutes les formalités que le notaire doit remplir dans ce cas. Ce dernier est un spécialiste des testaments et vous ne courez aucun risque en lui confiant la tâche de faire un testament notarié.

Le testament olographe exige, lui, un minimum de formalités. Ce testament doit être entièrement écrit et signé de la main du testateur et daté. Ce sont les seules formalités à remplir.

Entre ces deux extrêmes, il y a le testament fait sous la forme anglaise. Ce testament est un acte solennel et comporte certaines formalités, concernant particulièrement la qualité et la capacité des témoins. C'est intentionnellement que nous n'énumérerons pas ici les stipulations du Code civil concernant toutes les qualités que doivent posséder les témoins, en particulier la question de la parenté des témoins. Nous usons d'une extrême prudence et prions simplement le lecteur de faire ce que nous lui prescrivons, sans plus. De cette façon, il évitera toutes les difficultés. Récapitulons donc ce qu'il faut faire. Il faut deux témoins; chaque témoin doit avoir au moins dix-huit ans, n'être ni un parent ni un allié de l'héritier. Un mari et son épouse ne peuvent être témoins en même temps; l'un des deux peut être témoin, mais pas les deux à la fois.

Un rappel!

Il ne faut jamais faire deux testaments sur le même document. Le seul fait, par exemple, qu'un conjoint et son épouse se donnent tous leurs biens l'un à l'autre et signent un seul document, rend automatiquement celui-ci sans valeur. Il n'y a, dans ce cas, pas de testament. Le testament conjoint n'existe pas. DEUX TESTATEURS NE PEUVENT PAS SIGNER ENSEMBLE UN SEUL TESTAMENT. Faites deux testaments, chacun le vôtre, sous quelque forme que ce soit.

Tout le monde a le droit de prendre des procédures judiciaires. Malheureusement, quelques-uns utilisent ce privilège malicieusement et souvent pour des raisons farfelues. Nous ne pouvons rien y faire et tout citoyen a le droit d'instituer des procédures judiciaires pour tenter de faire annuler un testament. De là à réussir, c'est une toute autre question.

Des procédures judiciaires farfelues sont très onéreuses pour les deux parties en cause. Le grand gagnant est l'individu qui collecte les honoraires et ce ne sont jamais les parties en cause.

On peut toujours insérer dans le testament une clause d'exhérédation, c'est-à-dire une clause «déshéritant» l'héritier fautif. Cela n'empêche cependant pas un individu qui n'est pas héritier de tenter d'annuler le testament pour devenir héritier. Cette clause ne sera valide nécessairement que si le testament, lui, n'est pas annulé.

Pareillement, on peut inclure dans le testament une clause d'arbitrage pour éviter l'énormité des frais judiciaires et extra-judiciaires. Encore là, cette clause n'est valide qu'envers les héritiers mentionnés au testament.

C'est intentionnellement que nous refusons ici de donner un exemple à savoir comment écrire ces deux clauses car elles sont trop compliquées et trop lourdes de conséquences pour l'individu non expert en droit. Laissons cette tâche aux notaires!

Nous nous permettons maintenant de vous citer en exemple une cause de jurisprudence concernant des procédures en annulation de testament*. (Étant soucieux d'être bien

*(Cour supérieure: 550-05-000775-836, 16 novembre 1984. Cour d'appel du Québec: 500-09-000037-853, 12 mars 1986.)

compris par nos lecteurs qui n'ont aucune expérience légale, disons que le terme juridique «infirmer» signifie «déclarer nul».)

Le millionnaire hullois James Patrick Maloney savait très bien ce qu'il faisait le 7 juillet 1980 lorsqu'il a signé le testament dans lequel il déshéritait 21 membres de sa famille immédiate au profit de trois personnes n'ayant aucun lien de parenté avec lui.

Dans un jugement unanime, trois juges de la Cour d'appel du Québec ont infirmé la décision de novembre 1984 du juge Orville Frenette, de la Cour supérieure de Hull, qui avait invalidé le testament du 7 juillet 1980 et statué que lors de la signature du document déshéritant sa famille, l'excentrique millionnaire n'était pas en possession de toutes ses capacités.

Le banc de trois juges de la Cour d'appel, présidé par le juge Claude Bisson, estime que le juge au procès a commis deux erreurs dans sa décision, soit en faisant référence dans son jugement à des certificats médicaux qui n'avaient pas été admis en preuve et en soutenant que lors de son décès en avril 1983, M. Maloney souffrait d'un ramollissement cérébral, lequel remontait à une époque lointaine bien que le médecin qui a pratiqué l'autopsie ait déclaré lors du procès ne pas être en mesure de préciser à quand remontait précisément ce ramollissement.

Tout en reconnaissant que l'état de santé de M. Maloney se détériorait graduellement, la Cour d'appel soutient que la preuve médicale ne permet pas de conclure que le millionnaire décédé à l'âge de quatre-vingt-six ans était affligé d'une incapacité continue et retient à l'appui de son opinion le témoignage rendu par l'avocat Gordon Henderson, la seule personne qui était présente avec M. Maloney lors de la signature du testament.

En vertu de cette décision, le directeur spirituel de M. Maloney, le père Georges Larose, le secrétaire particulier du millionnaire, M. Jérome Falardeau, et l'infirmière de M. Maloney, Mme Louise Charlebois retrouvent leur droit à la fortune du millionnaire que l'on chiffre à plus de 15 millions de dollars.

Quant aux 21 neveux, nièces, cousins et cousines, dont Raymond et Gilda Maloney qui ont initié les poursuites devant les tribunaux, ils ne récoltent que ce que le millionnaire a bien voulu leur laisser, soit notamment 200 $ et 400 $ respectivement pour Raymond et Gilda au lieu d'une part de plus de un million de dollars chacun.

James Patrick Maloney avait décidé de modifier son testament en juillet 1980 afin de déshériter certains membres de sa famille qui avaient initié des procédures judiciaires afin de le faire déclarer sénile dans une tentative pour prendre le contrôle de la gestion de sa fortune.

Nous nous permettons maintenant ici une métaphore. Un testament est un document spécial où le juge est le testateur lui-même. Apparentons la contestation judiciaire d'un testament à un appel judiciaire de la première décision. Cette première décision est le testament lui-même alors que l'appel sera le jugement rendu suite aux procédures de contestation d'un testament.

Soit que le juge en première instance (le testateur) n'a pas été assez clair: il faut alors interpréter ses intentions; soit qu'il a écrit quelque chose «d'inconstitutionnel»: il a mis une clause contre les bonnes moeurs ou contre l'ordre public; soit qu'il a agi n'ayant pas juridiction: il était mentalement incapable de faire un testament; soit tout simplement qu'il n'a rien jugé: il n'a pas signé ni apposé sa marque.

En résumé, disons qu'il est très facile de contester un testament mais il est très difficile de réussir à le faire annuler.

15.

L'exécuteur testamentaire

L'exécuteur testamentaire est une personne en qui le testateur a placé sa plus entière confiance afin qu'elle puisse procéder au règlement de la succession et remettre les biens à ceux à qui le testateur a décidé de les donner, que ce soit un conjoint, des enfants, des parents, des amis, ou une oeuvre de charité. C'est lui qui est le maître absolu, le capitaine, quoi!

Lorsque le testateur a choisi son exécuteur testamentaire, il lui a donné des pouvoirs, des droits et des obligations. Selon le cas, il l'aura rémunéré ou non.

Toute la responsabilité de l'exécution du testament repose sur cette personne; il importe donc d'étudier et de bien comprendre son rôle. Le mot «succession» est un terme juridique qui signifie que la personne du défunt continue dans ses biens; on peut donc dire qu'une succession est presque une corporation. C'est la succession qui devient propriétaire des immeubles; c'est la succession qui perçoit les loyers; c'est la succession qui est responsable des réparations immobilières; et c'est au nom de la succession qu'on ouvre un compte à la banque. La succession, comme une compagnie limitée, ce n'est pas quelque chose, c'est quelqu'un; c'est la personne même du défunt qui continue dans ses biens, et comme cette personne n'est plus là pour administrer le tout, un administrateur la remplace: l'exécuteur testamentaire.

D'après la loi, les charges, les obligations et les prérogatives de l'exécuteur testamentaire varient selon le testament, au gré du testateur: c'est ce dernier qui décide quels seront les droits et les devoirs de son exécuteur testamentaire.

D'ailleurs, l'article 921 du Code civil est clair à ce sujet lorsqu'il stipule que «le testateur peut modifier, restreindre, ou étendre les pouvoirs, les obligations et la saisine de l'exécuteur testamentaire administrateur des biens en tout ou en partie, et même lui donner pouvoir de les aliéner, avec ou sans l'intervention de l'héritier ou du légataire, en la manière et pour les fins par lui établies».

Si le testateur nomme un exécuteur testamentaire sans préciser son rôle, les charges et devoirs de ce dernier sont alors établis par le Code civil et se résument à ce qui suit: l'exécuteur testamentaire est le dépositaire légal des biens meubles de la succession; il ne peut agir que durant un an et un jour à compter de la date du décès; il est obligé de rendre compte, de faire inventaire, de faire vérifier le testament, de le faire enregistrer s'il y a lieu, de payer les dettes, d'acquitter les legs, etc. Il sera spécialement soumis aux stipulations de l'article 981-o du Code civil relativement au placement des biens appartenant à autrui. Nous n'expliquerons pas ici tout le contenu de cet article, mais retenons que, dans un tel cas, l'exécuteur testamentaire doit placer les biens de la succession dans des obligations du gouvernement du Canada ou d'une province canadienne, des États-Unis d'Amérique ou d'un État de ce pays, ou dans des placements garantis par première hypothèque jusqu'à un maximum de 75 p. 100 de la valeur des immeubles, dans des obligations des corporations municipales, scolaires et des Fabriques, etc. Autrement dit, les pouvoirs de placement de l'exécuteur testamentaire sont réglementés sévèrement.

L'exécuteur testamentaire doit être majeur, c'est-à-dire être âgé d'au moins dix-huit ans révolus. Sa charge est toujours facultative et gratuite. Sa charge étant facultative, la personne que vous avez nommée comme exécutrice testamentaire n'est pas obligée d'accepter la charge que vous lui confiez, mais, une fois qu'elle l'a acceptée, en principe, elle ne peut plus s'y soustraire, à moins que ce privilège ne lui ait été consenti dans le testament. Ce travail est gratuit, mais le testateur a cependant le droit de remédier à cet inconvénient et de rémunérer à sa guise son exécuteur testamentaire s'il le juge à propos. Tout dépendra de qui il aura choisi et des raisons de son choix, d'où les questions suivantes: Pourquoi nommer un exécuteur testamentaire? Qui nommer exécuteur testamentaire? Combien d'exécuteurs testamentaires peut-on nommer? Quelle est la rémunération de l'exécuteur testamentaire? Quels pouvoirs accorder à l'exécuteur testamentaire? Quelles sont les responsabilités fiscales de l'exécuteur testamentaire?

Pourquoi nommer un exécuteur testamentaire?

Le testateur n'est aucunement obligé de nommer un exécuteur testamentaire, mais s'il institue son conjoint légataire universel, c'est-à-dire s'il lui lègue la totalité de ses biens, c'est alors le légataire universel qui agira comme propriétaire des biens du défunt avec toutes les charges et obligations ordinaires d'un propriétaire, même si le testament ne prévoit pas la nomination d'un exécuteur testamentaire.

Pourquoi, direz-vous, vaut-il mieux nommer un exécuteur testamentaire même si vous donnez tous vos biens à votre conjoint? Question de prudence. Si vous donnez la totalité de vos biens à votre conjoint et le nommez en même temps exécuteur testamentaire avec de nombreux pouvoirs d'administration et de disposition de vos biens, le notaire fera agir le plus longtemps possible votre conjoint à titre d'exécuteur testamentaire et, on ne sait jamais, si le défunt a fait quelque cachette de son vivant, si sa situation financière n'est pas aussi reluisante qu'il le laissait voir, si l'héritier universel agissant comme exécuteur testamentaire découvre des dettes qu'il ignorait, et qui rendent l'acceptation de la succession trop onéreuse, il est encore temps pour lui de renoncer à la succession puisque tant qu'il remplit le rôle d'exécuteur testamentaire, il agit comme administrateur et il n'accepte pas la succession.

Si on nomme un exécuteur testamentaire, c'est aussi pour s'assurer que ses biens seront partagés selon son bon vouloir et surtout qu'il ne se produira aucune dispute quant à la distribution des biens. C'est l'exécuteur testamentaire qui verra à diviser les biens comme le testament l'a stipulé.

De plus, si les biens sont donnés à plus d'une personne, il faut, comme nous l'avons dit précédemment, faire un inventaire de la succession, c'est-à-dire faire un bilan de la succession. Il faudra aussi faire une déclaration de revenus pour l'année durant laquelle le décès est survenu. S'il y a cinq enfants héritiers, tous mariés, cela peut représenter dix violons à accorder. Il est donc souhaitable qu'une seule personne soit chargée du règlement de la succession avec tous les pouvoirs requis.

Qui nommer exécuteur testamentaire?

Ici encore, la loi donne toute latitude au testateur; celui-ci choisira certainement une personne en qui il a pleinement confiance: son héritier, un parent, un ami ou un étranger. S'il s'agit d'un étranger, ce sera un spécialiste en la matière, tel un notaire, une compagnie de fidéicommis (compagnie de fiducie), etc. Il va de soi que le notaire qui est nommé exécuteur testamentaire, de par ses devoirs professionnels, a une réputation à soutenir et doit remplir les exigences de sa profession; dans ce cas, le testateur est assuré de la parfaite exécution de ses volontés.

Combien d'exécuteurs testamentaires peut-on nommer?

Vous pouvez nommer un ou plusieurs exécuteurs testamentaires, à votre choix. D'après la loi, si vous nommez plus d'un exécuteur testamentaire et que l'un d'eux décède ou refuse sa charge, le ou les exécuteurs testamentaires restants ont le pouvoir d'agir seuls, à moins que vous n'exigiez dans votre testament qu'il y ait toujours plus d'un exécuteur testamentaire en fonction. Dans ce cas, il faudrait que vous prévoyiez selon quelle méthode on devrait remplacer un exécuteur testamentaire qui décéderait ou refuserait d'agir. Nous vous conseillons cependant d'éviter cette dernière formule, car elle exige des connaissances juridiques assez approfondies. Mais c'est à vous de décider.

Quelle est la rémunération de l'exécuteur testamentaire?

Le travail de l'exécuteur testamentaire est gratuit. Il ne faut pas en déduire pour autant que votre exécuteur testamentaire sera obligé de sortir de l'argent de sa poche pour remplir les devoirs de sa charge. Non, bien sûr; tous les frais occasionnés par l'exécution du testament sont assumés par la succession elle-même. Par gratuite, on entend que l'exécuteur testamentaire ne peut exiger un salaire.

Le testateur a cependant le droit de prévoir la

rémunération de son exécuteur testamentaire dans son testament. Il peut le faire comme bon lui semble, mais la façon la plus courante consiste à faire un cadeau ou un legs particulier à l'exécuteur testamentaire en considération de l'acceptation de sa charge. Voici, en termes polis, comment vous pourriez l'écrire dans un testament: «Je prie mon exécuteur testamentaire d'accepter la somme de xxx $ en considération de l'accomplissement de sa charge d'exécuteur testamentaire», ou toute autre phrase de votre cru.

Bien entendu, si vous choisissez un étranger comme exécuteur testamentaire, un notaire par exemple, il faudra prévoir sa rémunération dans votre testament car il est bien évident qu'aucun professionnel ou corporation ne consentira à exercer ces fonctions à titre gracieux. La formule testamentaire de l'Autotestament prévoit cette rémunération quand l'exécuteur testamentaire est un notaire.

Quels pouvoirs accorder à l'exécuteur testamentaire?

Puisque le testateur a le pouvoir de faire ce qu'il veut, il est impossible d'énumérer ici tous les pouvoirs qu'il peut accorder à son exécuteur testamentaire: il n'y a aucune limite. Il faut toutefois s'en tenir à des pouvoirs communément nécessaires eu égard à notre mode de vie actuel.

Il est d'usage d'accorder à l'exécuteur testamentaire le pouvoir d'agir au-delà de l'an et jour tant et aussi longtemps que l'exige l'exécution du testament et le pouvoir de vendre ou d'aliéner les biens de la succession.

On lui accorde aussi ordinairement le pouvoir de donner quittance même pour des sommes d'argent qui auraient été payées du vivant du testateur, car l'exécuteur testamentaire ne peut donner un reçu (quittance) que pour les paiements que lui a collectés et non pas ceux qui auraient été reçus avant le décès. Supposons que le testateur soit propriétaire d'une créance hypothécaire qui lui est payée par versements mensuels comprenant le capital et les intérêts. Au moment de son décès, une partie de la dette est déjà payée; il est donc nécessaire que l'exécuteur testamentaire ait le droit de le reconnaître à la place du testateur afin de ne pas laisser le pauvre débiteur dans une impasse.

Quelles sont les responsabilités fiscales de l'exécuteur testamentaire?

L'exécuteur testamentaire doit bien prendre garde à ses responsabilités fiscales, surtout celles qui peuvent lui incomber lors du partage des biens de la succession entre les héritiers.

Depuis le 28 mai 1986, il n'y a plus de droits sur les successions au Québec. C'est clair. Les impôts sur le revenu de la personne décédée doivent cependant être payés au fisc et c'est à l'exécuteur testamentaire d'y voir. Ceci doit être bien compris. Si l'exécuteur testamentaire ne fait pas attention à ce que les impôts sur le revenu de la personne décédée soient payés avant de faire le partage des biens, il devient alors personnellement responsable envers le fisc, tant au provincial qu'au fédéral, du paiement des impôts sur le revenu de cette personne décédée.

Afin de ne pas nous répéter inutilement, il est de très grande importance que l'exécuteur testamentaire lise attentivement le prochain chapitre ainsi que le chapitre 17 intitulé «Comment régler une succession?».

Attention! Tout exécuteur testamentaire qui administre les biens de la succession sans être lui-même le seul légataire universel, doit obtenir des gouvernements fédéral et provincial un certificat ou permis spécial avant de procéder au partage des biens de la succession, à défaut de quoi il court le risque d'être personnellement tenu responsable des impôts non payés du défunt. Il doit demander, au bureau du district de l'impôt fédéral, un «certificat de décharge» à la date du décès, et au ministère du Revenu du Québec, bureau régional de la perception, un «certificat de distribution des biens» au moyen de la formule TPX-1.

Après avoir obtenu ces deux certificats, l'exécuteur testamentaire peut procéder sans crainte au partage des biens de la succession.

Afin de ne pas anticiper des différents pouvoirs accordés à un exécuteur testamentaire, nous réservons plutôt le chapitre 23 de ce volume à l'étude détaillée d'un testament qui sera épluché mot par mot, et le lecteur pourra alors voir l'application dans les faits du contenu total de ce volume.

16.

Lois fiscales et droits sur les successions

Il n'y a plus de droits sur les successions, ni au fédéral ni au provincial. Faut-il crier victoire? Examinons la situation.

Il faut bien se rappeler que toute loi est un document complexe. La loi est souvent difficile à comprendre, même pour des juristes avertis, car on y rencontre toujours des vices de forme, des vices d'application, voire des vices de rédaction. Par exemple, dans la loi de la Régie des Loyers, le gouvernement avait décrété une réglementation concernant les complexes immobiliers de douze logements et plus et appelait immeuble l'édifice lui-même, alors que tout juriste averti sait fort bien que le sens principal du mot «immeuble» est le terrain lui-même, de sorte que l'édifice érigé sur le terrain ne devient immeuble que par accident et est accessoire.

Mais de toutes les lois, celles sur la fiscalité sont les plus compliquées. Dans les faits, il existe une divergence d'opinions entre deux camps adverses: le contribuable et le gouvernement. Puisque le gouvernement qui, en définitive, procède à la rédaction des lois, il faut bien s'attendre à ce que le plateau de la balance penche toujours de son côté.

Cela nous fait penser aux parties de hockey entre pères et fils, ou mieux encore, entre les professeurs et les élèves, entre les religieux du collège et les pensionnaires. Qui ne s'en souvient? Immanquablement, les élèves se faisaient «entrer dans la bande» et les gagnants étaient toujours les mêmes.

Est-il besoin de dire qu'en fiscalité, lorsqu'un gouvernement légifère, que ce soit un gouvernement fédéral, provincial ou municipal, le gagnant est toujours le gouvernement et jamais le contribuable.

Si le contribuable réussit à trouver une faille quelconque dans une loi fiscale, à y déceler une échappatoire en sa faveur, le gouvernement concerné ne tardera pas à produire un amendement pour signifier à ce contribuable astucieux que toute bonne chose a une fin. C'est comme si les souris décidaient de partir en guerre contre les chats.

Attention! Les pages qui suivent et qui traitent de la loi sur les droits successoraux ne s'adressent pas aux juristes, mais bien aux néophytes en la matière. Dans des termes simples, nous nous efforcerons de donner les grandes lignes de cette loi afin que vous la compreniez bien. Nous n'étudierons pas tous les détails de la loi mais seulement ses aspects les plus courants, en prenant pour acquis que la majorité des successions sont simples et d'importance relative au point de vue financier.

Gouvernement fédéral

Au niveau fédéral, il n'y a aucun droit sur les successions telles quelles. Tout a été aboli, et ce, quelle que soit l'importance de la succession. Mais, comme nous le disions ci-dessus, cela ne veut pas dire que lorsque le gouvernement fédéral a aboli les droits sur les successions, le contribuable s'en est sorti, puisque le gouvernement a en même temps établi le gain de capital. Les droits sur les successions ont été abolis en grande pompe; la question du gain de capital a fait moins de bruit.

Les mots «gain de capital» signifient augmentation d'un capital qui est considéré comme profit. Par exemple: vous avez acheté une maison à revenus 150 000 $; vous la revendez quelque temps plus tard 200 000 $. Vous avez donc réalisé un bénéfice de 50 000 $. C'est ce bénéfice qui s'appelle le «gain de capital». Est-il taxable? Nous ne voulons pas traiter ici de l'impôt sur le revenu et nous laissons ce domaine aux spécialistes en la matière. Retenez cependant qu'il y a des moyens légaux de différer le paiement de vos impôts résultant d'un gain de capital et nous ne saurions trop vous conseiller de consulter des experts en la matière si jamais ce problème vous touche. Disons qu'actuellement il faut un assez gros gain de capital pour être taxable, mais ce terme de «gros» n'a pas le même sens pour tous les contribuables...

Lorsqu'une personne décède, ceci équivaut à dire au point de vue fiscal qu'elle vient de vendre ses biens; et c'est la raison pour laquelle nous vous conseillons de consulter des personnes compétentes pour faire la déclaration d'impôts du défunt pour l'année où a eu lieu le décès. En fait, tout dépend encore de la complexité de la situation et ce sera à vous de juger si vous ferez vous-même cette déclaration ou si vous la confierez aux soins d'un expert. Dans bien des cas, vous pourrez très bien y arriver seul, tout comme cela se faisait du vivant du contribuable.

Gouvernement provincial

Au provincial, il n'y a plus aucun droit sur les successions, que ce soit n'importe quel montant d'héritage et à n'importe quel héritier. Mais, attention: il y a de l'impôt sur le revenu! Nous vous conseillons de consulter un comptable à ce sujet.

Nous devons ici mettre spécialement l'exécuteur

testamentaire en garde. Il ne doit pas distribuer les biens entre les héritiers avant d'avoir obtenu du ministère du Revenu du Québec, division de l'impôt sur le revenu, un permis l'autorisant à faire la distribution des biens.

Les successions ouvertes depuis le 28 mai 1986 ne sont plus taxables au provincial.

Les articles 14 à 14.3 de la Loi sur le ministère du Revenu décrivent le procédé à suivre pour le règlement d'une succession au point de vue de la fiscalité provinciale. À ce sujet, nous prions nos lecteurs et spécialement l'exécuteur testamentaire de se référer au chapitre suivant intitulé «Comment régler une succession».

Lorsque vous réglez une succession, il vous faut déclarer la totalité des actifs de la personne décédée, ainsi que ses dettes; autrement dit, il faut dresser son bilan. Si, de son vivant, cette personne a fait des cachettes au gouvernement, c'est alors que le chat sort du sac. À six pieds sous terre ou dans son urne funéraire, le mort se moque bien des conséquences de ses actes; mais nous en profitons pour souligner que la plupart du temps il est inutile de cacher des revenus puisque cela sera découvert tôt ou tard.

Le fait d'abolir les droits successoraux et l'impôt sur les dons a de multiples répercussions, tant fiscales et économiques que sociales. Le testateur a alors une plus grande liberté dans la distribution de ses biens et il devient plus facile de planifier sa succession et de rédiger son testament. Cette abolition des droits successoraux diminue l'ingérence de l'État dans les affaires personnelles des contribuables et facilite la circulation des biens.

17.

Comment régler une succession?

Lorsqu'une personne meurt, qu'il y ait ou non un testament ou une disposition testamentaire quelconque, il faut éventuellement procéder au règlement de sa succession.

Cela signifie qu'il faut transmettre la propriété des biens de la personne décédée à ses héritiers, que ceux-ci soient testamentaires ou légaux (à défaut de testament). Précisons en passant qu'une succession sans testament s'appelle une succession *intestat*.

Donc, si, à titre d'héritier, vous avez fait l'acquisition d'un immeuble, autrement dit si vous héritez d'une maison, il faudra vous rendre propriétaire de cette maison. Selon le cas, votre contrat d'acquisition sera ou un testament, ou une transmission successorale sans testament, ou une autre sorte de disposition prévue en cas de décès, par exemple, une clause testamentaire dans un contrat de mariage.

Si, toujours à titre d'héritier, vous avez fait l'acquisition d'obligations qui sont enregistrées (ou immatriculées) au nom du défunt, telles des obligations d'épargne du Canada ou du

Québec, les obligations des municipalités, des commissions scolaires, centres hospitaliers, cégeps, etc., il faudra les faire réenregistrer au nom de l'héritier qui en est le nouveau propriétaire. Les obligations d'épargne du Canada ou du Québec seront alors remplacées par d'autres, immatriculées au nom de l'héritier.

Pour les obligations d'épargne du Canada, il faut s'adresser à la Banque du Canada, à Ottawa, ou au bureau de Montréal (Banque du Canada, Ottawa, Ontario, K1A 0G9 — Banque du Canada, 901 Carré Victoria, C.P. 6018, Montréal, Québec, H3C 3C2). Votre notaire connaît tous les rouages de cette procédure, la façon de les présenter et les documents à fournir.

Pour les obligations du Québec, il faut les présenter au fiduciaire nommé sur les obligations elles-mêmes tout en lui fournissant tous les documents pertinents.

Pour les autres obligations, il faut les présenter soit à la municipalité ou à la corporation concernée ou au fiduciaire (ou l'agent de transfert) y désigné sur l'obligation.

Disons qu'il faut toujours produire au moins les documents suivants: certificat de décès — copie du testament — copie du contrat de mariage dans certains cas — déclaration de transmission appropriée — l'obligation elle-même.

Comment vous y prendre alors? Quand faut-il régler une succession? Qui faut-il voir pour régler une succession? Quels sont les coûts du règlement d'une succession? Autant de questions auxquelles nous apporterons une réponse précise.

À la question «Quand faut-il régler une succession?», la réponse la plus logique c'est que plus tôt ce sera fait, mieux ce sera. Cela ne veut cependant pas dire de vous énerver et de procéder au règlement de la succession dès le moment du décès. Non. Nous sommes contre le fait, par exemple, qu'une veuve se lance à fond de train dans le règlement de la succession dès le décès de son conjoint. D'ordinaire, en plus d'être clairvoyante, la veuve doit être prudente. La plupart du temps un décès entraîne un changement radical des habitudes et nous conseillons toujours de prendre le temps de réfléchir un peu afin de «reprendre son souffle» et de s'adapter à son nouveau mode de vie.

Alors se pose la question suivante: «Qui faut-il voir pour procéder au règlement de la succession?» La prudence nous dicte ici d'être très circonspects dans nos réponses, afin que le lecteur puisse nous comprendre parfaitement.

Disons, dans un premier temps, qu'ordinairement la personne désignée pour le règlement d'une succession est un notaire. Mais cette règle n'est pas absolue.

Si vous décidez de consulter un notaire pour procéder au règlement de la succession, vous vous demandez sans doute quel notaire choisir. Sachez que rien ne vous oblige à choisir le notaire qui est en possession du dernier testament du défunt. S'il y a testament, l'exécuteur testamentaire est la personne en autorité chargée du règlement de la succession et c'est à lui de choisir un notaire en qui il a confiance, et pas nécessairement celui qui aura reçu le dernier testament.

Évidemment, si le testateur avait un notaire attitré, ou s'il avait lui-même choisi un notaire en particulier pour recevoir son testament, sans doute ce dernier sera-t-il au courant des affaires personnelles du testateur et aura-t-il en sa possession différents documents se rapportant aux biens du défunt.

Mais, répétons-le, c'est à l'exécuteur testamentaire de choisir.

Lorsqu'il n'y a aucun testament, le choix du notaire appartient aux héritiers, mais la loi ne précise pas lequel des héritiers fera ce choix. Si, à ce moment-là, les héritiers décident d'entamer un débat à ce sujet, ou s'ils veulent se lancer dans des chicanes, libre à eux de le faire.

Selon la complexité du règlement de la succession, selon

la variété des biens du défunt, on aura recours aux services de différents spécialistes, tels des notaires, des avocats, des comptables, des experts évaluateurs, des spécialistes fiscaux, etc. Si, par contre, le défunt ne possédait qu'un compte de banque, quelques petites assurances-vie, un simple mobilier de maison sans grande valeur marchande, sa succession sera assez facile à régler, qu'il ait ou non laissé un testament. Dans ce cas, la veuve peut procéder seule au règlement de la succession de son époux. Avec un peu de débrouillardise, elle se rendra au ministère du Revenu du Québec pour se procurer les formulaires requis; elle n'aura qu'à les compléter pour procéder au règlement de la succession. Puis, il lui suffira de fournir aux compagnies d'assurances, aux banques et à toute autre institution financière concernée, les documents qui lui seront demandés, tels les certificats de décès ou de sépulture, les certificats médicaux, les pièces justificatives et les formules toutes faites des déclarations de transmission.

Peut-être faudra-t-il à cette veuve ou à cet héritier un peu de patience, mais dans une situation simple, la plupart des gens sont capables de s'en tirer honorablement. Leur agent d'assurance-vie pourra sûrement les aider à retirer les bénéfices d'une police d'assurance-vie qui, dans certains cas, sera le seul actif de la succession.

Mais, encore une fois, tout dépend de la complexité de la succession et du temps dont peut disposer l'héritier ou l'exécuteur testamentaire. Il lui faudra peut-être se déplacer ou entretenir une correspondance. Vous pouvez vous-même régler une succession, tout comme vous pouvez, si vous le désirez, faire vous-même votre déclaration d'impôts, en ayant recours aux renseignements que le gouvernement met à votre disposition. Mais, souvent, il vaut mieux dépenser quelques dollars pour faire exécuter le tout par un notaire qui, lui, connaît parfaitement tous les rouages de l'administration gouvernementale, des compagnies et des institutions financières. Cela simplifie beaucoup votre tâche.

Une situation plus complexe requerra peut-être les services d'autres professionnels pour aider le notaire, par exemple d'un comptable pour faire la déclaration d'impôts du défunt pour l'année de son décès. Nous n'élaborons pas sur ce sujet qui n'est pas de notre domaine.

Quant aux coûts de règlement d'une succession, ils peuvent varier autant que les coûts de construction d'une maison. Pour la construction d'une maison, le coût dépend de la nature du sol, de la distance qui sépare la maison d'un chemin carrossable, de la complexité des plans, de la nécessité ou non d'avoir recours aux services d'un architecte, des dimensions de l'édifice, etc. Il en va de même pour le règlement d'une succession.

Seuls les avocats et les notaires peuvent rendre des services juridiques moyennant rémunération.

Nous n'insisterons jamais assez sur l'importance de s'informer à l'avance des coûts des services de quelque professionnel que ce soit. Il est tout à fait légitime de demander au notaire, à l'avocat ou à tout autre spécialiste de déterminer à l'avance les coûts de ses services.

Lorsque vous consultez un notaire, demandez-lui quels sont ses honoraires tant pour le règlement de la succession que pour la vérification d'un testament ou pour tout autre service. Tout spécialiste du droit exécutera bien sûr son ouvrage contre rémunération. Les notaires du Québec doivent s'en tenir à l'échelle des honoraires des notaires du Québec. Vous informer à l'avance serait prudent.

Les frais de règlement d'une succession sont nécessairement discutables selon la complexité du problème. Selon l'échelle des honoraires des notaires du Québec, les honoraires notariaux de base du règlement d'une succession sont calculés à partir de l'actif brut de la succession: 2 1/2 p. 100 de l'actif brut de la succession si cet actif ne dépasse pas 10 000 $, avec cependant un minimum de 200 $; 2 à 3 p. 100 sur l'excédent de 10 000 $ jusqu'à 100 000 $; 3/4 p. 100 sur l'excédent de 100 000 $ jusqu'à 500 000 $; 1/2 p. 100 sur tout montant excédant 500 000 $. Si la succession se compose exclusivement de biens meubles (à l'exclusion de biens immeubles), les honoraires sont de 60 p. 100 de ceux ci-dessus prévus*.

À ces honoraires de base, le notaire peut ajouter des honoraires supplémentaires selon la complexité du cas soumis et l'exigence de ses clients. La nomination d'un tuteur, la tenue d'un conseil de famille, les transmissions d'immeubles si la succession en contient beaucoup, les déclarations de transmission concernant des comptes de banque supplémentaires, des obligations, les études et recherches extraordinaires, etc. Autant de cas qui peuvent justifier des honoraires plus élevés.

Dans les faits, la nomination d'un tuteur, ce qu'on appelle un acte du tutelle, coûtera environ 125 $; la vérification d'un testament olographe ou sous la forme anglaise, à peu près le même prix. La détermination au préalable des frais de règlement de la succession comprendra ou exclura ces frais, selon le cas.

Suite à un décès, à la perte d'un être cher, n'agissez pas sous le coup de l'émotion et planifiez bien les différentes démarches requises pour le règlement de la succession.

Rappelez-vous bien que vous avez toujours le droit de renoncer à une succession tant que vous ne l'avez pas acceptée. On renonce à une succession lorsqu'on réalise qu'elle contient plus de dettes que de biens. Une fois que vous avez accepté une succession, vous ne pouvez plus y renoncer. Alors, agissez prudemment.

Pour renoncer à une succession, il faut absolument voir un notaire, car la renonciation à une succession doit obligatoirement être faite par acte authentique (notarié) et être enregistrée.

---

*Les honoraires des notaires, décrets nos 1343-83, 1er juillet 1983.

Il faut bien mettre en garde l'exécuteur testamentaire ou la personne qui règle une succession; nous en avons parlé précédemment (chapitre 16) de ce fait que l'exécuteur testamentaire ou l'administrateur doit obtenir un permis spécial l'autorisant à partager les biens entre les héritiers s'il ne veut pas être tenu personnellement au paiement des impôts du défunt. À cette fin, nous avons jugé qu'il valait mieux reproduire textuellement le texte de cette réglementation:

Loi sur le ministère du Revenu Art. 14 à 14.3
(en vigueur depuis le 28 mai 1986)

14. Avant de distribuer des biens sous son contrôle, tout cessionnaire, liquidateur, administrateur, exécuteur testamentaire ou toute autre personne qui liquide, administre ou contrôle les biens, les affaires, la succession ou le revenu d'une autre personne, à l'exception d'un syndic de faillite, doit informer le ministre, par avis écrit transmis par poste recommandée ou certifiée, de son intention de procéder à la distribution prévue; dans le cas d'une succession, cet avis doit être donné au moyen de la formule prescrite et comprendre les documents visés à l'article 14.1.

Sur réception de cet avis, le ministre peut exiger de la personne mentionnée au premier alinéa la production de tout document prévu par règlement, de la déclaration visée à l'article 1002 de la Loi sur les impôts (L.R.Q., chapitre I-3) et de toute déclaration ou rapport que l'autre personne devait produire en vertu d'une loi fiscale; il fait ensuite connaître par écrit le montant des droits, intérêts et pénalités exigibles de l'autre personne ou qui le deviendront dans les 12 mois suivants, en vertu de toute loi fiscale.

Certificat de paiement

Nul ne peut procéder à une distribution mentionnée dans le premier alinéa sans avoir obtenu du ministre un certificat attestant qu'aucun montant n'est exigible, que des sûretés pour le paiement d'un montant exigible ont été acceptées conformément à l'article 10 ou qu'un créancier a priorité de rang sur la créance de la Couronne, auquel cas le certificat indique le nom de ce créancier ainsi que le montant de sa créance et la distribution ne peut être faite qu'à ce créancier et jusqu'à concurrence de ce montant.

Refus de délivrer le certificat

Le refus du ministre de délivrer le certificat ou le fait de ne pas donner suite à l'avis mentionné dans le premier alinéa dans les 90 jours qui suivent la date de sa mise à la poste équivaut à une décision confirmant un avis de cotisation en vertu de l'article 1059 de la Loi sur les impôts (chapitre I-3) et les articles 1066 à 1079 de cette loi s'appliquent, compte tenu des adaptations nécessaires, à cette décision.

Responsabilité

Toute distribution de biens faite sans l'obtention du certificat du ministre rend le contrevenant personnellement responsable des montants mentionnés dans le deuxième alinéa jusqu'à concurrence de la valeur des biens qu'il a distribués.

Administrateurs tenus au paiement

S'il s'agit de la distribution de l'actif d'une corporation, tous les administrateurs de cette dernière, ainsi que son agent dans le cas d'une corporation ayant son bureau principal en dehors du Québec, en fonction à la date de l'envoi de l'avis mentionné au premier ou à la date à laquelle la distribution a lieu, sont tenus solidairement au paiement de ces montants s'ils ont consenti ou acquiescé à cette distribution ou s'ils y ont participé.

Dispositions applicables

Les articles 1005 à 1014, 1030, 1041, 1044, 1051 à 1062 et 1066 à 1079 de la Loi sur les impôts s'appliquent, en les adaptant, aux cinquième et sixième alinéas.

Malgré le présent article, dans le cas d'une succession, des biens d'une valeur n'excédant pas le montant prévu par règlement peuvent être distribués avant que l'avis mentionné au premier alinéa ne soit transmis au ministre.

1972, c. 22, a. 14; 1978, c. 37, a. 71; 1980, c. 11, a. 66; 1983, c. 49, a. 35; 1986, c. 15, a. 211.

14.1 Tout exécuteur testamentaire ou toute personne qui liquide, administre ou contrôle la succession d'une personne doit, dans les six mois du décès, dresser un procès-verbal constatant l'ouverture et énumérant complètement et en détail le contenu de tout contenant loué par la personne décédée ou son conjoint de toute personne se livrant habituellement à la location de coffres-forts, coffrets de sûreté ou autres contenants.

Ce procès-verbal doit être dressé en présence du locateur ou de son représentant, certifié conforme par la personne qui le dresse et contresigné par le locateur ou, le cas échéant, son représentant qui a assisté à sa confection; ce procès-verbal peut être remplacé par un inventaire préparé conformément aux articles 914 et suivants du Code de procédure civile (L.R.Q., chapitre C-25).

Une copie du procès-verbal démontrant l'accomplissement de ces formalités, ou le cas échéant, une copie authentique de l'inventaire, doit être conservée par le locateur et, sous réserve de l'article 14.3, copie doit en être transmise sans délai au ministre par la personne qui a procédé à sa confection.

1986, c. 15, a. 212.

14.2 Le locateur d'un contenant visé à l'article 14.1 ne peut en permettre l'ouverture ni le déplacement à une fin autre que celle prévue à l'article 14.1 à moins que les formalités prévues à cet article n'aient été respectées.

Sous réserve de l'article 14.3, il ne doit non plus permettre à qui que ce soit de prendre possession d'un bien ou document se trouvant dans un tel contenant tant qu'il n'en a pas reçu l'autorisation écrite du ministre ou qu'un certificat requis en vertu de l'article 14 n'a pas été délivré.

14.3 Tout exécuteur testamentaire ou toute autre personne qui liquide, administre ou contrôle la succession d'une personne peut, sans autorisation ni certificat, prendre possession d'une police d'assurance, d'un titre de propriété d'un immeuble, d'un testament, d'un codicille, d'un contrat de mariage ou de tout autre bien ou document non négociable ou non monnayable se trouvant dans un contenant visé à l'article 14.1.

S'il ne se trouve dans un tel contenant que des biens ou documents visés au premier alinéa, la personne qui a procédé à la confection de l'inventaire ou du procès-verbal, selon le cas, n'est pas tenue d'en transmettre copie au ministre.

Et rappelez-vous ceci: **les lois fiscales sont d'humeur changeante!**

18.

Le tuteur et les autres administrateurs

La plupart des gens ignorent ce qu'on entend exactement par «tuteur». Le terme est en effet souvent employé à toutes les sauces; on parle de «tuteur testamentaire», ou on nomme «son tuteur dans son testament»!

Retenez ceci: quelqu'un qui administre des biens qui ne lui appartiennent pas est un «administrateur». La langue française a un nom pour chaque sorte d'administrateur. Voici une description sommaire des différents types d'administrateurs, c'est-à-dire des différentes personnes qui administrent différentes sortes de biens dans différentes situations:

Curateur au ventre

Un individu qui administre les biens d'un enfant qui n'est pas encore né (en gestation). Il est nommé par la Cour supérieure.

Tuteur

Un individu qui administre les biens d'un enfant mineur, c'est-à-dire de moins de dix-huit ans. Il est nommé par la Cour supérieure.

Curateur

Un individu qui administre des biens qui appartiennent à:

- un mineur émancipé, par exemple un garçon de dix-sept ans en affaires;
- une personne interdite pour folie (aliénation mentale), ou pour alcoolisme d'habitude.

Il est nommé par la Cour supérieure.

Curateur à une substitution

Ce terme est compliqué; retenez simplement qu'il s'agit d'une personne qui administre les biens d'une succession double, c'est-à-dire, par exemple, des biens donnés à quelqu'un à la charge de les remettre à une autre personne à un moment donné.

Conseil judiciaire

Un individu chargé d'aider un faible d'esprit à administrer ses biens. Il est nommé par la Cour supérieure.

Procureur

Un individu qui administre les biens d'une autre personne majeure et totalement en santé. Par exemple, vous êtes propriétaire d'une maison à Montréal et vous voulez la vendre. Vous êtes en voyage d'études à Paris et vous avez nommé ici à Montréal quelqu'un pour s'occuper de vos affaires durant votre séjour en pays étranger. Il est nommé par un acte appelé procuration. La procuration peut être faite devant notaire ou devant deux témoins. Un procureur peut donc être nommé dans différentes situations que ce soit par un Japonais qui a un acte à signer à Montréal, ou par un Montréalais qui a un acte à signer à Miami.

Mandataire

Synonyme de procureur. Il est nommé par un mandat. Il s'agit simplement d'une question de termes.

Administrateur

Terme général qui désigne la personne chargée de la gestion de biens et d'intérêts appartenant à quelqu'un d'autre. Par exemple, le président d'une compagnie limitée est un administrateur, un ministre gouvernemental l'est également.

Exécuteur testamentaire

Un individu qui administre des biens qui appartiennent à une succession. Il est nommé par un testament.

Seuls les mots «tuteur», «curateur» et «exécuteur testamentaire» ont un féminin; on dit: «tutrice», «curatrice» et «exécutrice testamentaire».

Seul un juge de la Cour supérieure ou un protonotaire de cette cour peut nommer un tuteur. C'est la seule façon de nommer un tuteur sans avoir au préalable consulté le conseil de famille. Une fois que le conseil de famille a donné son avis, son opinion, à savoir quelle personne devrait être nommée tutrice, le juge n'est pas obligé de le suivre. Évidemment, il est rare qu'un juge ne suive pas l'avis du conseil de famille, mais c'est lui qui juge des circonstances, et ce toujours dans l'intérêt des enfants mineurs.

Un conseil de famille est composé d'un minimum de sept

adultes, parents ou alliés de l'enfant, choisis de préférence dans les deux familles, c'est-à-dire celle du père et celle de la mère. Si on ne peut réunir le nombre voulu de parents (sept), on pourra demander à des amis de faire partie de ce conseil de famille. Le conseil de famille propose un tuteur et un subrogé-tuteur, c'est-à-dire une seconde personne, chargée de surveiller l'administration du tuteur.

Toute cette procédure s'appelle un acte de tutelle.

L'acte de tutelle se fait à la Cour, c'est-à-dire au tribunal. Mais le tribunal peut se déplacer dans le bureau d'un notaire et c'est ce qui arrive dans la plupart des cas. Le notaire agit alors comme représentant du tribunal et c'est comme si le tribunal se déplaçait dans le bureau du notaire. Cependant, il faut que l'acte de tutelle soit fait par un notaire dans le district judiciaire où se trouve le tribunal en question. Par exemple, si l'acte de tutelle est fait pour la Cour supérieure de Montréal, le notaire doit faire l'assemblée des parents dans le district judiciaire de Montréal. Il ne pourra pas aller faire son assemblée à Saint-Jérôme, dans le comté de Terrebonne.

Il y a deux sortes de tuteurs: le tuteur à la personne et le tuteur aux biens. La plupart du temps c'est le même individu qui est en même temps tuteur à la personne et tuteur aux biens. Le tuteur aux biens administre les biens de l'enfant mineur et le tuteur à la personne est celui qui a le pouvoir physique de remplacer ses parents; ce sera celui qui aura autorité pour signer les bulletins scolaires, donner les punitions physiques s'il y a lieu, voir à l'instruction et à l'éducation de l'enfant, en un mot, agir comme parent.

Si, en faisant votre testament, vous prévoyez qu'il y aura des mineurs parmi vos héritiers et que vous accordiez dans ce cas des pouvoirs spéciaux à votre exécuteur testamentaire, il ne sera pas toujours nécessaire de nommer un tuteur aux biens. Il faudra cependant quand même nommer un tuteur à la personne, car quelqu'un doit avoir autorité sur l'enfant. Il n'est pas dans notre intention d'anticiper les décisions des juges, mais nous affirmons que si, par votre testament, vous confiez à un de vos parents ou à une personne de confiance l'administration totale des biens de l'enfant, cela équivaut à dire au juge que vous connaissez vos enfants, vous connaissez leurs besoins, leur caractère, leurs qualités et leurs défauts. D'ailleurs, qui connaît mieux un enfant que son père ou sa mère? Et qui connaît mieux l'exécuteur testamentaire que le testateur lui-même?

Logiquement, le conseil de famille devrait suivre l'opinion du testateur et choisir l'exécuteur testamentaire comme tuteur à la personne de l'enfant. Nous croyons que le juge se poserait des questions si, dans un tel cas, la famille ne choisissait pas l'exécuteur testamentaire comme tuteur. Enfin, n'anticipons pas et laissons le juge décider ce qu'il faut faire dans l'intérêt des enfants. Aucun autre intérêt ne sera considéré par le juge.

Dans un testament, le testateur peut fort bien demander que telle ou telle personne soit nommée tutrice de ses enfants. Il ne peut rien faire de plus, mais il est presque certain que son choix sera respecté.

Nous reproduisons ici le texte intégral concernant ce problème tel qu'écrit dans la formule testamentaire de l'Autotestament. Ouvrons cependant une parenthèse pour expliquer ce texte. Si deux conjoints sont victimes d'un même accident, que l'un décède et que l'autre reste impotent, «légume», ou aliéné mental, le survivant est appelé INCAPABLE. Le texte qui suit prévoit ce cas.

> «Si ma succession comprend des légataires mineurs ou incapables, mon exécuteur testamentaire possédera les pouvoirs additionnels suivants:
>
> 1. Agir en toutes choses sans le consentement de qui que ce soit, sans formalité de justice, avis, enchère et publication, sans tuteur ni curateur et de gré à gré;
> 2. Faire tous placements sans être astreint aux règles des articles 981-o et suivants du Code civil;

3. Partager selon mon testament mes biens entre mes légataires en suivant les prescriptions suivantes:
   a) La part de chacun de mes légataires mineurs ou incapables sera mise de côté pour son bénéfice personnel et les revenus nets en provenant ou toute partie d'iceux, selon le cas, seront employés à leur entretien, subsistance, éducation et instruction ou dans tous cas urgents ou imprévus;
   b) Dès l'âge de sa majorité ou à la fin de son incapacité, chacun de mes légataires pourra toucher directement tels revenus dont le capital lui sera versé à l'âge de vingt et un (21) ans pour alors jouir du tout en pleine propriété.
4. Employer le capital de mes biens ainsi légués à chacun de mes légataires mineurs ou incapables, pour son entretien, subsistance, éducation et instruction ou dans tous cas urgents ou imprévus, en étant seul juge de l'opportunité, de la fréquence et du montant de telles distractions de capital.

J'ordonne que l'emploi de tout revenu ou capital des dits biens ainsi légués soit fait par mon exécuteur testamentaire de la manière jugée la meilleure, en faisant remise ou paiement de tous tels revenus ou capital, soit au tuteur, soit au curateur, soit à la personne avec qui mes légataires résideront, soit à l'institution qu'ils fréquenteront et un reçu de telle personne ou institution sera une quittance pour tous tels déboursés, sans obligation de rendre d'autres comptes pour les revenus ou le capital de mes dits biens ainsi employés par mon exécuteur testamentaire.»

Ce texte sera étudié en profondeur dans le chapitre 23 intitulé «Étude détaillée d'un testament». Vous y trouverez toutes les remarques pertinentes.

19.

Le conjoint non marié et son testament

On se rend compte aujourd'hui qu'on peut faire soi-même des choses qui semblaient autrefois réservées à des spécialistes; et notre mode de vie est sensiblement différent de celui des années 70, et totalement différent de celui des années antérieures.

Sans conseiller ni condamner l'union libre, c'est-à-dire la cohabitation de fait entre deux personnes non mariées devant l'Église ou le protonotaire d'une Cour supérieure, nous constatons que cette situation est maintenant un fait social.

Que vient faire le testament là-dedans? Le législateur a toujours laissé à tout citoyen majeur la liberté de choisir lui-même ses héritiers et de décider de leur nombre. C'est ce que l'on appelle la liberté illimitée de tester; et au Québec la loi actuelle accorde à tout citoyen le droit illimité de donner ses biens à qui il veut. Si un individu décide de donner tous ses biens à son épouse, à ses enfants, à son ami(e), à d'autres parents, ou à une oeuvre de charité, tout lui est permis, quitte à ce qu'il déshérite tout parent qu'il voudra bien déshériter, que ce soit son conjoint, ses enfants ou d'autres parents. Pour être plus clair, si un individu donne la totalité de ses biens à une oeuvre de charité en ne laissant absolument rien, ni à son conjoint, ni à ses enfants, le testament sera valide.

Nous en arrivons ici à celui que plusieurs appellent conjoint de droit commun, concubin(e), ami(e), et que nous appellerons tout simplement: conjoint de fait.

Du point de vue testamentaire, le législateur ne prévoit rien pour protéger un conjoint de fait. Si vous demeurez avec une personne sans être mariée avec elle, et que vous voulez qu'elle hérite d'une partie ou de la totalité de vos biens, il n'y a pas d'autre moyen de le faire que de faire un testament qui témoignera de vos volontés. Votre conjoint de fait doit évidemment faire de même afin que *vous* héritiez. Le seul droit qu'un conjoint de fait peut posséder, c'est de devenir (moyennant certaines conditions) le bénéficiaire de Rentes du Québec après votre décès. À ce moment, il lui faudra prouver une cohabitation constante durant une certaine période précédant immédiatement le décès et nous vous faisons grâce de toute la réglementation que le gouvernement a formulée à ce sujet, par l'intermédiaire de la Régie des rentes du Québec.

Le citoyen qui vit une situation de cohabitation de fait peut aussi avoir des enfants nés de cette union et ne pas vouloir raconter sa situation privée à un notaire, fût-il un professionnel lié par le secret professionnel. Souvent il n'a pas non plus le goût d'entendre lire à haute voix la totalité de son testament pour étaler devant des étrangers toute son histoire personnelle, souvent ignorée même de sa proche parenté.

Pour pallier à tout ceci, le citoyen a toujours le droit de faire son testament lui-même, sous la forme olographe (écrit entièrement de sa main), ou sous la forme anglaise (signé devant deux témoins). Mais, nous le répétons, il y a des risques à faire soi-même son testament; vous n'avez probablement ni formation ni expérience dans ce domaine.

Le testament sous la forme anglaise présente l'avantage suivant: on n'a pas besoin de lire aux témoins. Ceci est très important. Les témoins dans un testament sous la forme anglaise signent le testament pour attester qu'ils ont vu signer le testateur, que ce dernier leur a déclaré que ce document était son testament et qu'il a requis leur signature pour attester cette déclaration. La signature des témoins sera d'ailleurs précédée d'une phrase qui pourrait se lire comme suit: «Signé par X (le nom du testateur) et reconnu par lui (elle) comme son testament en la présence simultanée des témoins soussignés, lesquels à sa demande ont alors signé en présence de l'auteur et signataire du testament et l'un de l'autre.»

Nous conseillons fortement à toutes les personnes se trouvant dans une telle situation d'identifier le mieux possible l'héritier, c'est-à-dire le conjoint de fait, dans leur testament. Il ne faut pas se limiter à écrire le nom du conjoint de fait, car il existe sûrement de nombreuses personnes qui portent exactement le même nom dans la province de Québec. Par exemple, si vous voulez donner tous vos biens à la personne avec qui vous vivez (votre conjoint de fait), vous pouvez l'identifier en choisissant l'une des expressions suivantes: «Monsieur X, mon conjoint de fait» — «Monsieur X, mon ami avec qui je demeure» — «Monsieur X, avec qui je fais vie commune» — «Monsieur X, mon conjoint de droit commun».

Maintenant que les droits sur les successions n'existent plus, il n'y a aucun désavantage fiscal à léguer ses biens à son conjoint de fait. Il est bien évident que la cohabitation est en voie de devenir une institution parallèle au mariage et cette décision n'appartient qu'aux personnes concernées.

Osons espérer que le Législateur mettra un peu d'ordre dans tout cela. Les nombreux projets de lois présentement à l'étude démontrent combien le Législateur a de la difficulté à s'en sortir.

Si vous vivez dans une certaine intimité et désirez

demeurer dans cette intimité sans avoir à raconter votre histoire personnelle à qui que ce soit, alors choisissez en conséquence la façon dont vous voulez transmettre vos biens après votre décès. À ce sujet, nous vous référons aux chapitres précédents et particulièrement au chapitre 9 intitulé «Quelle sorte de testament faut-il faire?»

20.

Le testament de vie

Le testament a servi jusqu'à récemment à exprimer les dernières volontés d'un individu en cas de décès. Voici qu'aujourd'hui, en raison des progrès dans le domaine médical, il existe un nombre croissant de nos contemporains qui désirent rédiger un document afin d'exprimer leurs volontés s'ils sont placés dans certaines situations d'incapacité totale irréversible.

Anciennement, le problème ne se posait pas: la vie finissait lorsque le pouls s'arrêtait, lorsque le tracé cardiaque était plat, lorsque le corps était «froid», mais depuis les vingt à trente dernières années, on peut dire qu'il est techniquement possible de maintenir un être en vie. C'est justement depuis qu'on peut réanimer les gens que les questions suivantes se posent: «Doit-on ou ne doit-on pas maintenir la vie? Quand la prolongation de la vie est-elle profitable pour l'individu concerné?»

Pour définir le testament de vie, disons qu'il s'agit d'un document en vertu duquel un individu lucide, ayant toutes ses facultés mentales, exprime par écrit ses volontés relativement aux traitements médicaux dont il peut faire l'objet s'il est atteint d'une maladie grave, d'un accident réputé mortel, etc.

En conséquence, le testament de vie peut représenter l'accord du signataire à l'effet que l'on devrait prendre tous les moyens nécessaires, artificiels, mécaniques ou autres pour son maintien en vie alors qu'un même document écrit par un autre signataire pourrait stipuler absolument le contraire, soit son refus d'être maintenu en vie artificiellement.

Dans un article de Marc Sévigny publié dans la revue *Justice* d'octobre 1985 intitulé «Mourir à l'hôpital», l'auteur décrit le premier cas où l'individu exige par écrit que toutes formes d'acharnement pour le maintenir artificiellement en vie soient interrompues et qu'on lui permette de mourir naturellement. Advenant une situation où il ne pourrait pas exprimer sa volonté de vive voix, le signataire désigne une personne de confiance chargée de prendre les décisions concernant les soins prodigués conformément à ses directives.

La société américaine Hemlock regroupe des milliers de membres dont la majorité sont des personnes âgées de cinquante-cinq ans et plus. Cette société propose un testament de vie qui est une formule adressée à la famille, aux amis, aux proches, et aux spécialistes de la santé tels les médecins, et qui demande l'interruption des traitements et l'administration de soins palliatifs au moyen de drogues anti-douleurs en cas de maladie incurable ou fatale, d'accident ou de quelque autre cause que ce soit privant le patient d'une qualité de vie décente.

Il existe en France une association pour le droit de mourir dans la dignité (ADMD). Son rôle est d'étudier des formules similaires de testament de vie et de militer pour leur reconnaissance légale.

Le testament de vie a été légalisé dans de nombreux États américains. Toutefois, il est sujet à de nombreuses spécifications différentes d'un État à l'autre et peu nombreux sont ceux qui stipulent que le document doit être observé scrupuleusement. Certains États américains assujettissent ce document à des formes particulières, restreignent à certaines années la validité du document lui-même, déclarent invalide ce document fait durant la période de grossesse et refusent cette déclaration faite par une personne mineure ou par un adulte incompétent alors que d'autres exigent que le patient notifie le médecin de l'existence de cette déclaration.

Le testament de vie est inconnu au Québec si on s'en rapporte à la législation écrite. Il n'est pas pour autant illégal mais il faut admettre qu'aucune législation ne traite de ce sujet.

Les progrès de la technologie médicale offrent aux travailleurs de la santé des méthodes de réanimation de plus en plus perfectionnées. Bien que les interventions au moyen d'appareils s'avèrent souvent salutaires, les professionnels de la santé s'interrogent souvent au moment de donner l'ordre de réanimer un patient lorsqu'une telle intervention ne ferait que prolonger son agonie plutôt que de le ramener à la vie.

Il est reconnu qu'il existe des situations de maladie et de mort inévitables. Prenons l'exemple d'une personne âgée se trouvant dans un état de santé extrêmement précaire, souffrant d'artériosclérose, d'infection aux poumons restreignant énormément sa capacité respiratoire. Que dire du diagnostic médical révélant qu'elle a un cancer inopérable des poumons? Que dire du même individu transporté alors aux soins intensifs et rattaché à un respirateur? Ce patient encore lucide demande qu'on lui retire l'appareil respiratoire! Il est reconnu que le malade a le droit d'accepter ou de refuser tout traitement, et, s'il le désire, les membres de sa famille peuvent être consultés.

Évidemment, le médecin traitant, sachant fort bien que le retrait du respirateur entraînera automatiquement la mort de son patient, hésitera beaucoup à respecter sa volonté.

Un article d'Ann Helm, r.n.j.d. dans la revue *Nursing* de novembre 1985 intitulé «What you should know about living wills» pose la question à savoir quelle est l'obligation du professionnel de la santé lorsqu'un patient refuse les soins palliatifs ou les traitements le maintenant artificiellement en vie.

Dans sa décision, nul doute que le médecin traitant doit évaluer la lucidité du patient et il est d'usage que si ce patient n'est pas lucide, il conviendra de demander l'opinion d'un autre médecin. Quant aux proches, souvent il n'est pas plus facile d'obtenir une décision d'eux lorsqu'on leur demande de participer à la prise de décision.

Il y a tout de même un protocole qui existe à l'intention des professionnels de la santé au sujet de la réanimation des malades en phase terminale. En avril 1984, une déclaration a été émise émanant conjointement de l'Association des infirmières et infirmiers du Canada, de l'Association médicale canadienne et de l'Association des hôpitaux du Canada, le tout ayant été formulé par un groupe de travail des trois organismes ci-dessus décrits en collaboration avec l'Association du Barreau canadien et le concours de représentants de l'Association catholique de la santé et de la Commission de réforme du Droit du Canada. Cette déclaration vise à fournir une ligne directrice nationale à laquelle peuvent se conformer toutes les personnes qui oeuvrent aux soins des malades en phase terminale. Chaque établissement peut nécessairement émettre ses propres directives en guise de complément à la déclaration nationale.

Le Centre régional de réanimation de la région de Montréal, localisé au Centre hospitalier de la Cité de la Santé de Laval, fait un travail exemplaire et s'occupe de promouvoir la coordination de la formation, l'information et l'évaluation de tout ce processus. Lorsqu'il y a arrêt cardiaque, le premier devoir de l'intervenant, témoin de cet arrêt cardiaque, est de demander immédiatement l'aide du professionnel de la santé. C'est la première chose à faire. Deuxièmement, tant que l'intervention du professionnel de la santé n'a pas lieu, c'est à ce témoin de faire ce qu'il peut: massage cardiaque, respiration artificielle, etc. D'ailleurs, lors d'un appel d'urgence au numéro 911, le préposé d'«Urgence Santé» (ou autre organisme de transport ambulancier) demeure en ligne et, par ses conseils pertinents, aide la personne du mieux qu'il peut à se tirer d'affaire. Dès l'arrivée du secouriste (que nous appelons professionnel de la santé), que ce soit un médecin ou un ambulancier, c'est à ce dernier qu'incombe la tâche de prendre une décision et il prend alors la situation en main. Remarquons que ce professionnel n'a qu'une fraction de minute pour porter un jugement sans avoir l'occasion de prendre connaissance du dossier médical du patient.

Le testament de vie permet de clarifier son choix de valeurs; il est nécessaire que les gens prennent conscience de l'importance de faire connaître leurs priorités à leur médecin.

Il est à noter que tous les États américains qui ont légalisé le testament de vie y ont inclus l'immunité en faveur des professionnels de la santé concernant l'exécution des volontés du signataire du document.

Doit-on interrompre sur demande le traitement donné à un patient incurable condamné à mourir à plus ou moins brève échéance? La question est susceptible d'engendrer la controverse au-delà du milieu médical et légal pour s'étendre à la population en général. Il existe d'autres domaines où les développements scientifiques posent de sérieux dilemmes philosophiques, par exemple, les manipulations génétiques. Nous devons faire face à des choix extrêmement difficiles en contrepartie du savoir que nous acquérons.

Chaque individu doit prendre conscience de ses propres responsabilités et de son droit de décider lui-même de ce qui le concerne. Notre ligne de conduite est de laisser à chacun le libre choix de la transmission de ses biens, et, partant, le libre choix de sa qualité de vie et de ses opinions.

Notre séjour sur cette terre aura une fin. À quel moment arrivera cette fin? Nous espérons tous que ce sera le plus tard possible. Entre-temps, nous voulons tous vivre pleinement et non à l'état de «légume». Mais, dans une situation d'extrême danger, sommes-nous certains que nous ne choisirions pas de survivre quelles qu'en soient les conséquences?

Il faut beaucoup de maturité pour rédiger un testament de vie et pour bien peser toutes les facettes de cette question. Il est utile de s'informer sur les techniques de réanimation, sur les conditions de vie aux soins intensifs et palliatifs, de recueillir les témoignages de personnes qui ont survécu grâce à la réanimation ainsi que les témoignages de leurs proches.

21.

Le testament international

Le but du testament international est de créer une nouvelle forme de testament qui sera valide et reconnu par tous les pays et états contractants. Le testament sera valide quels que soient le lieu de son exécution, la nationalité du testateur, le domicile ou la résidence de ce testateur.

Même si le testament international est une nouvelle forme de testament, il doit quand même tenir compte des formes existantes de testament dans les différents systèmes légaux des différents pays et états contractants et, comme conséquence logique, aucun homme de loi, ni notaire, ni avocat, ni spécialiste du droit de quelque pays que ce soit ne pourra s'opposer à cette forme de testament.

Le testament international sera valide dans les pays et états contractants en éliminant certaines contraintes légales et il pourra tout aussi bien être valide dans les autres pays et états non contractants tout comme n'importe quel testament étranger.

Le testament international sera employé par toute personne vivant hors de son pays qui en reconnaîtra elle-même les éléments essentiels et sera capable de rédiger son testament dans sa propre langue en étant assuré qu'il sera reconnu comme valide dans tout autre pays.

Pourquoi faire un tel testament? Parce que c'est vraiment un moyen facile et peu onéreux d'acquérir une sécurité personnelle dans ce monde souffrant lui-même d'une grande insécurité.

Le testateur pourra être assuré que ses biens et actifs seront distribués de la façon qu'il aura lui-même choisie, que son testament ne contiendra aucune erreur de formalité, et ce, que les biens qu'il lègue soient acquis avant ou après l'existence de ce testament et qu'ils soient situés n'importe où, et que la validité du testament ne sera pas compromise par le lieu de la résidence ou le lieu du domicile au moment du décès ou au moment de la rédaction du testament.

De nos jours, les frontières entre les pays tendent à s'estomper et un nombre toujours croissant d'individus possèdent des actifs hors du Québec, soit dans une province voisine, soit dans un pays étranger. C'est un fait et quelles qu'en soient les raisons, celles-ci sont trop nombreuses pour les énumérer ici.

Au Québec, pays de droit français, le testament notarié est prépondérant, mais, malgré ses qualités et le fait qu'il soit valide hors du Québec, il demeure quand même difficile à utiliser dans un État de droit anglo-saxon.

Au début de ce volume, nous avons avisé le lecteur que nous ne parlerions que de ce qui existe actuellement au point de vue légal. Alors, pourquoi parler ici du testament international s'il n'existe pas encore au Québec? Il est exact que ce genre de testament n'existe pas encore dans notre province, mais il existe au Canada. Le testament tel quel n'existe pas encore au Québec mais la cause de sa création existe, elle!

Les circonstances, raisons et causes sont nombreuses et variées: héritage d'un actif en pays étranger, possession d'une résidence sous n'importe quel climat plus clément que le nôtre, placements en pays étranger, possibilités d'épargne fiscale, etc.

Le Canada est partie à cette convention portant loi uniforme sur la forme d'un testament international, et notre pays a signé cette convention à Washington le 26 octobre 1973, puis, cet instrument d'adhésion du Canada a été déposé le 24 janvier 1977 et est entré en vigueur le 9 février 1978. Cette convention de testament international s'applique dans les provinces suivantes: Manitoba, Terre-Neuve, Ontario, Alberta et Saskatchewan. Sont parties à la convention les pays suivants: Canada, Belgique, Équateur, Libye, Niger, Portugal, Yougoslavie et Chypre.

D'autres pays ont signé la convention mais n'ont pas encore déposé les instruments de ratification et ne sont donc pas liés par les dispositions de la convention. Il s'agit de la Chine, la Tchécoslovaquie, la France, le Saint-Siège, l'Iran, le Laos, la république de Sierra Leone, l'U.R.S.S., la Grande-Bretagne et les États-Unis d'Amérique. Même si les États-Unis d'Amérique ne sont pas encore partie à la convention, certains États américains ont quand même adopté des amendements au «Uniform Probate Code» appliquant les dispositions de la convention.

Alors, quel conseil donner au citoyen qui possède des biens dans un pays étranger, qui désire faire son testament pour que tels biens soient transmis par succession, et ce sans créer de problèmes entre le Québec et ce pays étranger? La solution est de faire un testament multiple, c'est-à-dire faire deux testaments identiques en même temps, portant la même date, avec exactement le même texte dont l'un est fait suivant la loi du Québec et l'autre suivant la loi internationale ou la loi du pays où les biens sont situés.

Le testament international est fortement apparenté à notre testament notarié et notre testament sous forme anglaise (deux témoins). Il est signé en présence de deux témoins et d'une personne habilitée à instrumenter à cet effet. Si le testament comporte plusieurs feuillets, chaque feuillet doit être signé par le testateur et numéroté. La personne habilitée, qui serait sûrement un notaire au Québec, joint au testament une attestation établissant que les obligations prescrites par la loi ont été respectées.

Ne tentez pas de faire des testaments multiples vous-même. Dans ce cas, voyez un notaire car lui seul peut vous conseiller à ce sujet.

22.

Le testament en braille pour les handicapés visuels

Lorsque nous voulons apporter aide et réconfort aux handicapés, nous réalisons notre propre impuissance et nous sommes obligés de nous limiter à nos propres capacités personnelles.

Tous les citoyens majeurs et soucieux de leurs affaires devraient posséder un testament, sinon le plus grand nombre possible. Nous avons réussi à inclure dans cette grande famille un groupe de citoyens jusque-là ignorés dans ce fait de faire ses propres «papiers», en mettant au point un testament en braille pour les handicapés visuels.

Évidemment, c'est une première au Québec et cette réussite a été rendue possible grâce à l'étroite collaboration de l'Institut Nazareth et Louis Braille avec l'Autotestament Inc. Il fallait faire équipe pour réussir ce tour de force et, n'eût été de l'aide spéciale apportée par André Vincent, directeur des Éditions Braille du Québec, lui-même totalement aveugle, il nous aurait été impossible de faire ce genre de testament.

C'est ce même M. Vincent qui nous disait posséder un

testament notarié, décision très louable en soit. «Mais, nous disait-il, l'autre jour j'aurais voulu relire mon testament, mais...»

Dans notre droit actuel, disons d'abord que les aveugles ne sont frappés d'aucune incapacité légale et qu'ils possèdent les mêmes droits civils, civiques et politiques que les voyants.

Nul doute que tout handicapé, quel qu'il soit, en état de manifester sa volonté, peut faire un testament notarié. C'est l'idéal. Quant à nous, admettant que le testament notarié est la «Cadillac» des testaments, nous ne préconisons pas un changement mais une alternative pour celui qui refuse à tort ou à raison de se rendre chez le notaire.

Notre Code civil parle du sourd-muet mais reste lui-même muet en ce qui concerne l'aveugle. L'article 847 du Code civil énonce les prescriptions requises pour un testament notarié fait par un sourd-muet mais ne parle pas de l'aveugle. Rien dans la loi n'empêche l'aveugle de faire un testament notarié. Il peut dicter ses volontés, manifester ses intentions et son consentement à l'acte, entendre la lecture de l'acte. Il n'a qu'à signer, s'il peut le faire, ou déclarer ne pouvoir signer.

L'article 852 du Code civil stipule que «le sourd-muet en état de connaître la portée d'un testament et le mode de le faire et toute autre personne lettrée ou non, que son infirmité n'empêche pas d'avoir la même connaissance et de manifester sa volonté, peuvent tester, suivant la forme dérivée de la Loi d'Angleterre, pourvu que leur intention et la reconnaissance de leur signature ou marque soient manifestées en présence des témoins».

Bien que cet article du Code civil vise tout particulièrement le sourd-muet illettré, il permet à tous ceux qui peuvent manifester leurs volontés de quelque manière que ce soit, de tester suivant la forme dérivée de la Loi d'Angleterre (testament devant deux témoins).

Les auteurs et la jurisprudence admettent qu'un testament

rédigé en caractère braille par un aveugle est valide et peut être accepté pour vérification comme testament olographe.

Rien non plus n'empêche l'aveugle de tester suivant la forme anglaise en vertu de notre article s'il est dans les conditions requises. La doctrine juridique exprime qu'une personne aveugle, et sourde et muette de naissance, est intellectuellement incapable de faire un testament. Mais la cécité ou la surdité seulement ne produit pas la même incapacité. Le principe de base d'un bon testament est que le testateur sache clairement ce qu'il fait et connaisse parfaitement la portée de ses actes.

En ce qui concerne le handicapé visuel, disons qu'il peut être totalement aveugle ou partiellement aveugle selon certains degrés de cécité. C'est pourquoi le testament que nous avons créé est imprimé sur un papier spécial et très épais en caractère gras de 16 points, en lettres majuscules seulement, ce qui représente des lettres de 3 millimètres (environ 1/4 po) permettant à l'individu qui n'est pas totalement aveugle de lire le testament. Par un second procédé, la lettre correspondante en caractères brailles est poinçonnée sur la lettre imprimée. De cette façon, tout handicapé visuel peut soit lire le gros caractère d'imprimerie ou lire le caractère en braille.

Cette formule testamentaire spéciale disponible exclusivement à l'Autotestament Inc. permet au handicapé visuel de compléter lui-même son testament s'il n'est pas totalement aveugle ou, dans le cas contraire, de le faire compléter par quelqu'un d'autre qui remplira alors les blancs en gros caractères à la main et y ajoutera lui-même les caractères en braille.

L'Autotestament Inc., dépositaire exclusif de ce genre de testament, offre au handicapé visuel l'occasion de compléter le testament pour lui à l'Institut Nazareth et Louis Braille qui possède les machines à écrire adéquates pour écrire en braille, le tout pour le prix de 29,00 $ qui inclut le formulaire et les frais d'enregistrement. Les déplacements des représentants de l'Autotestament Inc. et leur aide pour compléter le testament sont gracieusement offerts au handicapé visuel par l'Autotestament Inc. et ses administrateurs.

Ce genre de testament peut aussi être fait ailleurs qu'à cet Institut, mais dans un tel cas il faut prendre les arrangements requis et spéciaux au préalable.

23.

Étude détaillée d'un testament

Après avoir lu les précédents chapitres, il vous est maintenant possible de satisfaire votre curiosité et de prendre connaissance d'un testament qui pourrait aussi bien être notarié, olographe, signé devant deux témoins ou fait avec l'Autotestament.

Bien des gens se posent des questions sur certains mots ou certains passages d'un testament qui ne leur semblent pas clairs. C'est à partir de questions de ce genre qui nous ont été adressées que nous avons écrit ce volume de vulgarisation. Tout ce qui y a été consigné peut s'appliquer dans les faits, comme vous le constaterez vous-même en prenant connaissance du testament qui suit.

L'un des auteurs de ce volume étant lui-même notaire, il est tout à fait normal qu'il fasse constater *de visu* au lecteur de quelle façon un testament est rédigé lorsqu'il est notarié.

Ce testament, dont nous étudierons ici chaque mot, est un testament standard, rédigé normalement dans le cours habituel de l'exercice du notariat. Il peut exister des différences de phraséologie d'un notaire à l'autre, mais dans les faits, tout testament notarié est composé des mêmes éléments.

Supposons qu'un couple se rend chez le notaire pour lui dicter ses dernières volontés. Le mari dit alors au notaire: «Moi, advenant mon décès, je veux que tous mes biens quels qu'ils soient aillent à mon épouse; et si nous mourons dans un même accident, au lieu de donner tous mes biens à mon épouse, je les donne alors à mes enfants à parts égales; et si parmi eux il y a des mineurs ou des infirmes, etc., je veux que mon exécuteur testamentaire possède des pouvoir spéciaux afin d'employer l'héritage de l'enfant à son entretien, sa subsistance, son instruction, etc.»

Le lecteur doit bien noter que ce testament peut s'appliquer aussi bien au testament notarié qu'au testament olographe ou au testament sous la forme anglaise (deux témoins). Il s'applique aussi si le couple vit en union libre.

Nous étudierons maintenant tous les mots et toutes les expressions de ce testament et vous y retrouverez l'application de notre philosophie testamentaire. À la lecture de ce chapitre, vous reconnaîtrez sûrement tout ce qui a été mentionné et vous sentirez une grande satisfaction à réaliser combien de connaissances utiles vous avez maintenant acquises.

Il s'agit d'un testament fait par un époux (épouse) en faveur de son conjoint et de ses enfants:

Rappelez-vous que le mot à mot de ce testament pourrait s'appliquer tel quel à chacune des trois formes de testament, sauf dans le cas de certains points que nous vous indiquerons.

En premier lieu, voici la totalité du testament. Suivront les explications de chaque phrase et de chaque mot si nécessaire.

Testament

Je révoque expressément tous testaments, codicilles et autres dispositions testamentaires que j'ai faits ou pu faire avant celui-ci.

Je donne et lègue à titre particulier les biens ci-après décrits aux personnes suivantes, savoir:

(description des legs particuliers)

Tout legs particulier est donné à titre de bien propre.

Je donne et lègue à titre universel à mon conjoint «X» à titre de biens propres, le résidu de tous mes biens meubles et immeubles, toutes assurances-vie et tous droits et privilèges de nature quelconque que je posséderai à mon décès et qui composeront le résidu de ma succession, pour en prendre possession dès l'instant de mon décès, en pleine et absolue propriété, et, advenant son prédécès ou son décès dans les soixante (60) jours du mien, mon décès, je nomme alors mes enfants au premier degré mes légataires universels résiduaires en parts égales entre eux, avec tous les mêmes droits, pouvoirs et privilèges que ceux mentionnés aux présentes.

Exécuteur testamentaire

Pour exécuter mon présent testament, je nomme et choisis «X» avec pouvoir d'agir au-delà de l'an et jour tant et aussi longtemps que l'exigera l'exécution de mon présent testament, le dispensant de tout inventaire, de tout cautionnement et de toute reddition de comptes, et avec pouvoir de vendre, gager, aliéner, hypothéquer les biens meubles et immeubles de ma succession et tous pouvoirs de donner quittances et mainlevées même pour des sommes perçues de mon vivant. Advenant le décès, refus ou incapacité d'agir de mon exécuteur testamentaire il sera alors remplacé par «X» avec tous les mêmes droits, pouvoirs et privilèges que ceux mentionnés aux présentes. Tout exécuteur testamentaire pourra renoncer à sa charge même après l'avoir acceptée pourvu que telle renonciation soit faite par acte authentique et portant minute. Si ma succession comprend des légataires mineurs ou incapables, mon exécuteur testamentaire possédera les pouvoirs additionnels suivants:

1. Agir en toutes choses sans le consentement de qui que ce soit, sans formalité de justice, avis, enchère et publication, sans tuteur ni curateur et de gré à gré;

2. Faire tous placements sans être astreint aux règles des articles 981-o et suivants du Code civil;

3. Partager selon mon testament mes biens entre mes légataires en suivant les prescriptions suivantes:

a) La part de chacun de mes légataires mineurs ou incapables sera mise de côté pour son bénéfice personnel et les revenus nets en provenant ou toute partie d'iceux, selon le cas, seront employés à leur entretien, subsistance, éducation et instruction ou dans tous cas urgents ou imprévus;

b) Dès l'âge de sa majorité ou à la fin de son incapacité, chacun de mes légataires pourra toucher directement tels revenus dont le capital lui sera versé à l'âge de vingt et un (21) ans pour alors jouir du tout en pleine propriété.

4. Employer le capital de mes biens ainsi légués à chacun de mes légataires mineurs ou incapables, pour son entretien, subsistance, éducation et instruction ou dans tous cas urgents ou imprévus, en étant seul juge de l'opportunité, de la fréquence et du montant de telles distractions de capital.

J'ordonne que l'emploi de tout revenu ou capital des dits biens ainsi légués soit fait par mon exécuteur testamentaire de la manière jugée la meilleure, en faisant remise ou paiement de tous tels revenus ou capital, soit au tuteur, soit au curateur, soit à la personne avec qui mes légataires résideront, soit à l'institution qu'ils fréquenteront et un reçu de telle personne ou institution sera une quittance pour tous tels déboursés, sans obligation de rendre d'autres comptes pour les revenus ou le capital de mes dits biens ainsi employés par mon exécuteur testamentaire.

Explications

Je révoque expressément tous testaments, codicilles et autres dispositions testamentaires que j'ai faits ou pu faire avant celui-ci.

Le mot «révoquer» signifie «annuler». Comme vous décidez de faire un testament qui est un acte de dernière volonté, c'est comme si vous décidiez de refaire tout en neuf et d'annuler les actes passés. C'est pourquoi on mentionne ici les codicilles et les autres dispositions testamentaires, par exemple une clause testamentaire qui aurait été faite dans un contrat de mariage. Bon, après avoir établi clairement votre décision, le testament lui-même débute.

Je donne et lègue à titre particulier les biens ci-après décrits aux personnes suivantes, savoir:

Les mots «à titre particulier» signifient que ce que vous

donnerez à cette ou ces personnes particulières ne constitue qu'une partie de la succession et que l'héritier ne sera pas tenu au paiement des dettes de la succession. Le don qui lui est fait doit lui être livré en entier. Si le testament est notarié, c'est le notaire qui écrira alors le paragraphe approprié.
Pour les testaments olographes et avec témoins, le testateur écrit lui-même de la façon la plus claire possible les dons spéciaux qu'il veut faire et en faveur de qui. Notez que si l'héritier est une personne non parente (amie), on doit l'identifier en mettant son adresse. Pour un neveu, on peut dire «fils de...».

Tout legs particulier est donné à titre de bien propre

Cela signifie que le don fait à cet héritier ne sera pas partagé avec son conjoint, ne fera partie d'aucune communauté de biens ni société d'acquêts qui pourrait exister entre cet héritier et son conjoint.

Je donne et lègue à titre universel à mon conjoint «X» à titre de biens propres,

Vous donnez les biens en propre, ce qui veut dire encore une fois que les biens de vos héritiers ne feront pas partie d'une communauté de biens, ni d'une société d'acquêts qui pourrait exister entre l'héritier et son conjoint. De plus, puisque le legs est fait à titre universel, cela veut dire que cet héritier (ou ces héritiers) devra payer les dettes de la succession à même son héritage. Il est bien évident que personne ne peut être héritier de quelque chose sans payer les dettes. On ne peut pas prendre seulement la crème et laisser le petit-lait. On prend tout, les bons et les mauvais côtés, ou on ne prend rien. S'il en était autrement, vous comprenez que personne ne vous prêterait d'argent de votre vivant en courant le risque de le perdre si vous mourez.

Pour les testaments olographes et avec témoins, notez que le testateur doit identifier clairement ses héritiers. Ainsi, pour une épouse on doit dire «mon épouse une telle», pour un conjoint de fait on peut dire «mon ami(e) avec qui je demeure», «mon conjoint de fait», etc.

le résidu de tous mes biens meubles et immeubles, toutes assurances-vie et tous droits et privilèges de nature quelconque que je posséderai à mon décès et qui composeront le résidu de ma succession

Il faut toujours donner le résidu à quelqu'un, c'est la seule façon de ne rien oublier. Même si vous croyez avoir pensé à tout et énuméré tous vos biens dans votre testament, vous risquez d'avoir oublié quelque chose dans «un recoin». N'oubliez pas qu'un petit compte à la caisse populaire donne souvent droit à une assurance-vie égale au dépôt; la plupart du temps, une petite dette à cette même caisse populaire sera payée par une assurance-vie. Ces assurances-vie ne sont pas considérées comme de l'argent en banque mais comme toute autre assurance-vie; c'est pourquoi dans la formule testamentaire on peut lire: «toutes assurances-vie». Quant «aux droits et privilèges de nature quelconque», veuillez vous référer au chapitre 24 «Anecdotes et faits vécus», au récit intitulé «Legs particulier original»... et vous comprendrez tout!

pour en prendre possession dès l'instant de mon décès, en pleine et absolue propriété

Il faut faire une différence entre la possession et l'occupation. Pour être vraiment propriétaire d'un bien, il faut en avoir la possession. Ainsi, lorsque vous acquérez un immeuble, vous en prenez possession ordinairement à la date de la passation du contrat d'acquisition, mais vous ne l'occupez pas nécessairement tout de suite. Il faudra attendre qu'il y ait un logement libre. Un propriétaire peut être en possession d'un immeuble de 50 logements sans en occuper aucun.

Et, advenant son prédécès ou son décès dans les soixante (60) jours du mien, mon décès, je nomme alors mes enfants au premier degré mes légataires universels résiduaires en parts égales entre eux, avec tous les mêmes droits, pouvoirs et privilèges que ceux mentionnés aux présentes

Vous remarquerez sans doute qu'on n'a pas prévu le cas où vous mourriez dans un même accident. C'est ce qu'on appelle les «comourants». Il n'est pas nécessaire de prévoir ce cas puisqu'il est maintenant réglé par un article spécial du nouveau Code civil, lequel article est en vigueur depuis le 2 avril 1981.

Dans les faits, il existait la «théorie des comourants» selon laquelle, d'une façon générale, le Code civil faisait hériter l'individu qui aurait dû physiquement être le plus vigoureux. Cependant, les règles concernant les comourants ont été grandement simplifiées par les nouveaux articles 603 et 605 du Code civil. Une seule disposition, substituant une présomption de décès simultané aux anciennes présomptions de survie fondées sur l'âge et le sexe des personnes codécédées, a été mise en application. La succession de chacune des personnes codécédées est dévolue aux héritiers qui auraient été appelés à recueillir les biens, à défaut des personnes qui ont trouvé la mort lors d'un même événement.

Cette règle s'applique aussi bien aux successions sans testament qu'aux successions testamentaires et elle permet d'éviter deux successions consécutives des mêmes biens. Prenons un exemple: le père et la mère meurent dans un même accident. La succession du père

sera réglée comme s'il était décédé sans conjoint et avec ce testament les biens iront aux enfants au premier degré. La succession de la mère sera réglée de la même façon et le tout ira aux enfants au premier degré.
Cependant, lorsque deux personnes sont impliquées dans le même accident, par exemple le mari et la femme, il arrive souvent que l'une meure instantanément tandis que l'autre décède soit durant son transport à l'hôpital, soit dans les quelques jours suivant l'accident, ou plus tard. Nous reviendrons un peu plus loin au cas du survivant qui devient «légume», ou impotent mentalement (incapable) pour le reste de ses jours. Donc, le texte testamentaire dit que si votre héritier désigné meurt avant vous ou dans les 60 jours suivant votre propre décès, vous le considérez comme inexistant et il n'hérite pas. Vous considérez les deux décès comme étant simultanés et les biens iront aux enfants au premier degré, c'est-à-dire à l'exclusion des petits-enfants; vos enfants deviennent alors les légataires universels résiduaires en parts égales. Il n'est pas nécessaire de répéter la totalité du testament; vous dites simplement qu'ils seront vos héritiers avec les mêmes droits, les mêmes pouvoirs, les mêmes privilèges que ceux mentionnés dans votre testament.

Exécuteur testamentaire: Pour exécuteur mon présent testament, je nomme et choisis

La meilleure personne que vous puissiez choisir pour être exécutrice testamentaire est certainement votre héritier. En l'occurrence, votre conjoint. Vous pouvez cependant fort bien nommer quelqu'un d'autre, par exemple un notaire, un parent, un ami, une compagnie, etc.
Nous sommes donc rendus au rôle de l'exécuteur testamentaire, un des points les plus importants du

testament. Comme le nom l'indique, l'exécuteur testamentaire est la personne chargée de l'exécution du testament.
En ce qui concerne les testaments olographes et avec témoins, on conseille au testateur de bien établir le degré de parenté ou l'identité de l'exécuteur testamentaire. Les mots «exécuteur testamentaire» s'écrivent au féminin «exécutrice testamentaire» et, de plus, ils peuvent se mettre au pluriel. Au testateur de les écrire correctement.

avec pouvoir d'agir au-delà de l'an et jour tant et aussi longtemps que l'exigera l'exécution de mon présent testament

Comme nous l'avons dit dans le chapitre intitulé «L'exécuteur testamentaire», d'après la loi, la charge d'un exécuteur testamentaire dure un an et un jour à compter de la date du décès à moins que le testateur n'en ait stipulé autrement. Comme il est souvent impossible de régler totalement une succession dans ce laps de temps, surtout s'il faut attendre que des héritiers atteignent l'âge de dix-huit ans, il importe de préciser, dans le testament, qu'on accorde à l'exécuteur testamentaire le pouvoir d'agir tant que ce sera nécessaire, c'est-à-dire jusqu'à ce que la succession soit complètement réglée.

le dispensant de tout inventaire, de tout cautionnement et de toute reddition de comptes

Le terme «inventaire» réfère ici à l'inventaire légal prévu au Code civil, où il est dit que l'inventaire doit être une reproduction exacte et fidèle des biens du défunt. Les frais de tel inventaire sont énormes car il faut tout décrire; dans le cas, par exemple, d'un mobilier de maison, il faut inclure les tapis, les sous-tapis, le nombre de cendriers, etc. Imaginez vous-même l'inventaire des tiroirs de madame et des accessoires de passe-temps de monsieur, en passant par la chambre de bébé.

L'exécuteur testamentaire sera quand même obligé de faire un inventaire, sommaire cependant, s'il veut savoir où il va ou si le ministère du Revenu du Québec lui en exige un. Cet inventaire sera alors fait en bloc, c'est-à-dire qu'on y mentionnera la valeur globale du mobilier de maison sans spécifier les objets qui le composent.

Quant au cautionnement, l'article 910 du Code civil stipule que l'exécuteur testamentaire «n'est pas tenu de donner caution à moins qu'il n'ait accepté avec cette charge». Par contre, l'héritier bénéficiaire peut être tenu, en certaines occasions, de donner une «caution bonne et valable...» pour éviter tout risque de confusion, pour être clair eu égard à la philosophie générale du Code civil, nous préférons quand même spécifier que l'exécuteur testamentaire est dispensé de donner caution. Il n'y a rien de mal à être trop clair ni trop précis.

Quant à la reddition de comptes, c'est la contrepartie de l'inventaire; car s'il y a inventaire, il doit y avoir reddition de comptes. Il s'agit d'une reddition légale de comptes qui est assez onéreuse. Même si l'exécuteur testamentaire est dispensé de faire l'inventaire et de rendre compte de son administration, cela ne veut pas dire qu'il n'ait jamais de compte à rendre à quiconque, car cela ne lui donne pas la permission de garder les biens de la succession pour lui-même, de voler, quoi! il doit tout de même rendre un compte normal pour contenter les héritiers et au moins démontrer sa bonne foi et couvrir son honnêteté.

et avec pouvoir de vendre, gager, aliéner, hypothéquer les biens meubles et immeubles de ma succession

Ces mots signifient que vous donnez à votre exécuteur testamentaire tous les pouvoirs d'agir comme vous le feriez vous-même si vous étiez vivant, puisque vous considérez que votre homme de confiance, votre exécuteur testamentaire, prend votre place quant à l'administration de vos biens, jusqu'à ce que ceux-ci soient remis à leur propriétaire respectif.

et tous pouvoirs de donner quittances et mainlevées même pour des sommes perçues de mon vivant

Comme nous l'avons dit ailleurs dans le présent volume, l'exécuteur testamentaire n'a pas le pouvoir légal de donner des reçus pour de l'argent qu'il n'aurait pas lui-même perçu. Par exemple, si le testateur était créancier d'une somme d'argent payable par versements mensuels incluant le capital et les intérêts, il faut bien que l'exécuteur testamentaire ait le pouvoir d'accorder à ce pauvre débiteur qui aura fini de payer sa dette, une quittance totale et finale avec mainlevée de son hypothèque, tant pour les sommes payées du vivant du testateur à ce dernier, qu'après le décès, à l'exécuteur testamentaire.

Advenant le décès, refus ou incapacité d'agir de mon exécuteur testamentaire il sera alors remplacé par «X» avec tous les mêmes droits, pouvoirs et privilèges que ceux mentionnés aux présentes

Nous croyons que cette phrase ne requiert pas beaucoup d'explications. Retenez simplement que l'exécuteur testamentaire n'est pas obligé d'accepter la charge qu'on lui confie et que, de plus, il est dit plus loin dans le testament que l'exécuteur testamentaire a le droit de renoncer à sa charge même après l'avoir acceptée. Revenons à l'exemple de ce fameux accident dans lequel l'époux meurt alors que l'épouse demeure impotente pour le restant de ses jours, ou incapable mentalement.

L'épouse est toujours héritière, propriétaire des biens, mais incapable de les administrer convenablement. Dans ce cas, l'exécuteur testamentaire, un enfant peut-être, pourra prendre en charge l'administration de la succession pour le bénéfice de la mère.
Pour les testaments olographes et avec témoins, rappelez-vous que la charge d'exécuteur testamentaire est gratuite à moins que le testateur n'ait prévu une rémunération. Si c'est un notaire qui est exécuteur testamentaire, il est bien évident que ce dernier ne consentira à agir à ce titre que moyennant des honoraires professionnels. Si l'exécuteur testamentaire est un notaire, on écrit alors: «Il aura droit aux mêmes honoraires que ceux des compagnies de fiducie.»

Tout exécuteur testamentaire pourra renoncer à sa charge même après l'avoir acceptée pourvu que telle renonciation soit faite par acte authentique et portant minute

Comme la charge d'exécuteur testamentaire est souvent gratuite, il est très important que la personne puisse se libérer de cette charge si elle tombe malade, devient impotente ou encore incapable d'administrer suite à des représailles ou des objections d'héritiers mécontents. Cette renonciation peut être assez lourde de conséquences et il est nécessaire d'en assurer une preuve irréfutable. Le meilleur moyen d'obtenir cette preuve est d'exiger un acte notarié (c'est-à-dire authentique) et portant minute (c'est-à-dire dont l'original demeurera dans le greffe du notaire d'une façon permanente).

Si ma succession comprend des légataires mineurs ou

incapables, mon exécuteur testamentaire possédera les pouvoirs additionnels suivants:

C'est ici que nous avons à régler le cas des légataires mineurs, qui n'ont pas atteint l'âge de dix-huit ans, ou des légataires incapables, par exemple, un aliéné mental, un accidenté impotent mentalement ou une personne atteinte de toute autre forme d'incapacité prévue par la loi empêchant un individu d'administrer ses biens lui-même.

1. Agir en toutes choses sans le consentement de qui que ce soit, sans formalité de justice, avis, enchère et publication, sans tuteur ni curateur et de gré à gré;

Ce paragraphe signifie que l'exécuteur testamentaire ne sera pas obligé de faire nommer un tuteur aux biens des enfants mineurs, ni de curateur aux personnes incapables d'administrer leurs biens; ce qui implique qu'il n'y aura alors aucune formalité de justice. Quant aux avis, enchère et publication, et «de gré à gré», retenez qu'un tuteur, par exemple, ne peut pas vendre un immeuble appartenant à des enfants mineurs sans faire un conseil de famille, sans obtenir un jugement ordonnant la vente des biens immeubles, un rapport des experts évaluateurs, sans faire une vente aux enchères publiques, un rapport du notaire au tribunal etc., enfin tout un tralala de procédures. Or tout cela est éliminé par cette phrase précédente du testament, et l'exécuteur testamentaire a le droit de vendre les biens à qui il décidera et de gré à gré, autrement dit à l'amiable.

2. Faire tous placements sans être astreint aux règles des articles 981-o et suivants du Code civil;

Nous avons donné toutes les remarques pertinentes concernant l'article 981-o du Code civil, dans le chapitre intitulé «L'exécuteur testamentaire»; et, là encore, nous ne voulons pas expliquer la totalité de cet article, mais nous disons que dans un tel cas l'exécuteur testamentaire doit placer les biens de la succession dans des obligations du gouvernement du Canada ou d'une province canadienne, des États-Unis d'Amérique ou d'un État de ce pays, dans des placements garantis par première hypothèque jusqu'à un maximum de 75 p. 100 de la valeur des immeubles, dans des obligations des corporations municipales, scolaires et des Fabriques, etc. Autrement dit, les pouvoirs de placements faits par l'exécuteur testamentaire sont réglementés spécifiquement par cet article du Code civil concernant les placements des biens appartenant à autrui, lequel article a été fait en 1888, et amendé en 1933 et en 1968 (16, Elizabeth II, Bill 35).

Il est assez courant de dispenser l'exécuteur testamentaire des prescriptions de cet article 981-o du Code civil, puisque c'est un individu qui bénéficie de la confiance totale du testateur.

3. Partager selon mon testament mes biens entre mes légataires en suivant les prescriptions suivantes:

A) La part de chacun de mes légataires mineurs ou incapables sera mise de côté pour son bénéfice personnel et les revenus nets en provenant ou toute partie d'iceux, selon le cas, seront employés à leur entretien, subsistance, éducation et instruction ou dans tous cas urgents ou imprévus;

B) Dès l'âge de sa majorité légale ou à la fin de son incapacité, chacun de mes légataires pourra toucher directement tels revenus dont le capital lui sera versé à l'âge de vingt et un (21) ans pour alors jouir du tout en pleine propriété.

Nous ne croyons pas qu'il soit nécessaire de fournir au citoyen moyen beaucoup d'explications au sujet du présent texte. Nous considérons qu'il a été composé de façon à être très facile à comprendre. Disons simplement que ces paragraphes s'appliquent aussi bien aux enfants mineurs qu'aux personnes incapables, et que les biens sont remis à l'enfant mineur lorsqu'il atteint l'âge de vingt et un ans.

Nous savons fort bien qu'il y a des gens qui préféreraient que ces biens soient remis à l'âge de vingt-cinq ans au lieu de vingt et un ans. Question d'opinion. Quant à nous, nous supposons que les biens sont légués à l'enfant dans le but d'assurer, entre autres, son éducation. Or aujourd'hui, à l'âge de vingt-cinq ans, l'étudiant a habituellement terminé son cours universitaire. Il commence ses études à l'université vers l'âge de dix-neuf ou vingt ans et c'est à ce moment qu'il a besoin des fonds pour assurer la bonne marche de ses études. S'il a assez de maturité pour prendre la décision de poursuivre des études universitaires, il y a de fortes chances qu'il en ait assez pour administrer des biens qui lui permettront de payer ses études.

4. Employer le capital de mes biens ainsi légués à chacun de mes légataires mineurs ou incapables, pour son entretien, subsistance, éducation et instruction ou dans tous cas urgents ou imprévus, en étant seul juge de l'opportunité, de la fréquence et du montant de telles distractions de capital

Avec une succession de valeur modeste, nous jugeons qu'il est totalement impossible que seuls les revenus soient employés à faire ce qui est stipulé dans ces paragraphes du testament, car ils seraient insuffisants. Songez, entre autres, au capital requis pour obtenir des intérêts formant une somme suffisante pour répondre aux besoins annuels d'un étudiant de vingt ans.

J'ordonne que l'emploi de tout revenu ou capital des dits biens ainsi légués soit fait par mon exécuteur testamentaire de la manière jugée la meilleure, en faisant remise ou paiement de tous tels revenus ou capital, soit au tuteur, soit au curateur, soit à la personne avec qui mes légataires résideront, soit à l'institution qu'ils fréquenteront et un reçu de telle personne ou institution sera une quittance pour tous tels déboursés, sans obligation de rendre d'autres comptes pour les revenus ou le capital de mes dits biens ainsi employés par mon exécuteur testamentaire

Ce dernier paragraphe ne requiert pas d'explication; nous estimons qu'il est assez clair pour que tout citoyen le comprenne. Vous serez peut-être surpris de constater que les revenus peuvent être remis soit au tuteur, soit au curateur. Rappelez-vous que nous avons déjà dit qu'il y a deux sortes de tuteurs: un tuteur à la personne et un tuteur aux biens (voir le chapitre 18 intitulé «Le tuteur et les autres administrateurs»). Lorsque le testateur donne des pouvoirs spéciaux à son exécuteur testamentaire, il ne donne que des pouvoirs concernant les biens matériels de l'enfant et non des pouvoirs concernant la personne physique de cet enfant. Ainsi votre exécuteur testamentaire n'aura aucun pouvoir concernant la signature des bulletins scolaires, la signature des autorisations requises à une opération chirurgicale, etc. Si l'enfant n'a aucun parent, il faudra quand même faire une assemblée de famille pour lui nommer un tuteur qui aura simplement un pouvoir physique sur l'enfant et un pouvoir d'éducation. Il lui servira de parent et n'aura rien à administrer, sauf les sommes que lui remettra l'exécuteur testamentaire pour assurer le bien-être de l'enfant. Maintes fois, c'est l'exécuteur testamentaire qui devient presque automatiquement le tuteur à la personne physique de l'enfant. Le juge décidera de cette opportunité.

Notez que pour les testaments olographes et avec témoins, le testateur qui fait son testament lui-même et donne ses biens à son conjoint de fait (non marié) peut ajouter la clause suivante, laquelle est incluse dans tous les formulaires de l'Autotestament:

«Advenant mon mariage éventuel avec quelqu'un d'autre qu'un bénéficiaire quelconque nommé dans mon présent testament, alors ce testament sera automatiquement révoqué par le seul fait de ce mariage.»

Cette clause spéciale peut être incluse dans le testament pour éviter des situations désastreuses. On conseille de faire un testament dès l'âge de la majorité (dix-huit ans), maintenant que l'union libre est un fait social. Imaginez l'union libre de deux adolescents de dix-neuf ans. L'amour aidant, ces deux jeunes feraient chacun leur testament dans lequel ils donneraient tous leurs biens à leur conjoint de fait. Supposons la rupture de cette union quelques années plus tard; chacun des deux amis retourne vivre seul. Imaginons ensuite un mariage légal ultérieur, vers l'âge de vingt-cinq ans avec la naissance d'un bébé. Le jeune homme oublie de refaire un testament, il ne fait aucun contrat de mariage puis meurt accidentellement. Ne serait-il pas tout à fait illogique que l'ancienne «amie» devienne héritière alors que l'épouse et l'enfant n'hériteraient pas du tout? Quel désastre! Pour éviter une telle situation, on inclut cette clause dans votre testament à l'effet qu'il sera automatiquement annulé advenant le mariage avec quelqu'un d'autre qu'un héritier. Si le testateur se mariait légalement avec son héritière, son conjoint de fait, il n'y aurait alors aucune conséquence fâcheuse.

Cette clause spéciale est incluse dans les formulaires de l'Autotestament vu le fait que le testateur est laissé quelque peu à lui-même.

Il est difficile à ce stage-ci de conseiller le rédacteur d'un testament olographe, mais en lui disant ce que contiennent les formulaires de l'Autotestament, il peut se rendre compte lui-même de ce qu'il peut écrire. Si le testament n'est pas notarié et principalement s'il est fait devant deux témoins sur un formulaire de l'Autotestament, la clôture du testament a trait aux questions concernant la disposition du corps après le décès, les messes et funérailles s'il y a lieu, l'adresse permanente, le numéro d'assurance sociale, la date et le lieu de naissance et le régime matrimonial. Le testament est alors daté avec le nom du lieu où il est signé, puis signé alors par le testateur de sa signature ordinaire.

Le testament contient alors la mention suivante:

> «Signé par (le nom du testateur) et reconnu par lui (elle) comme son testament en la présence simultanée des témoins soussignés, lesquels, à sa demande, ont alors signé en présence de l'auteur et signataire du testament et de l'un et l'autre.»

Nous devons vous rappeler qu'il n'est pas nécessaire que le testament soit lu aux témoins; ces derniers signent le testament simplement pour reconnaître que le testateur leur a dit que ce document était son testament, qu'il voulait le signer en leur présence pour qu'ils reconnaissent que le document a effectivement été signé par le testateur en leur présence et qu'eux-mêmes ont signé en présence l'un de l'autre à la demande du testateur.

Affidavit

La formule testamentaire de l'Autotestament contient une

déclaration assermentée à être signée par un des deux témoins attestant que les prescriptions légales ont été observées. Nous avertissons nos lecteurs que cette partie est facultative en ce sens qu'elle n'ajoute ni n'enlève rien à la validité du testament lui-même.

Lorsqu'il faut procéder à la vérification du testament à la Cour, la preuve est automatiquement faite lorsqu'un des deux témoins signe cette déclaration et se fait assermenter par quelqu'un qui a le pouvoir de recevoir des déclarations sous serment.

De cette façon, après le décès du testateur, il ne sera plus nécessaire de retracer un des deux témoins pour lui faire signer cette déclaration sous serment. La preuve de l'authenticité du testament est terminée.

Ceux qui ont le droit d'assermenter cette déclaration sont les notaires, les commissaires à l'assermentation (qui sont souvent des directeurs de banque ou de caisse populaire, ou des courtiers d'assurances), le curé, le chef de police en maintes occasions, etc., en un mot, toute personne qui a le droit de recevoir des déclarations sous serment, et il y en a une foule. Les bureaux d'administration de toutes les grandes entreprises comptent toujours une personne ayant ce droit.

* * *

Nous déconseillons au consommateur de faire son testament sans aucune aide, à moins de posséder une formation juridique. Même en utilisant l'exemple précédent, on risque de se fourvoyer. Nous avons connu de nombreux cas de testaments olographes nuls ou qui ne traduisaient pas les volontés du testateur. Ces testaments avaient été copiés sur des testaments d'amis ou écrits selon les directives d'un parent mal informé.

Quoique le testament sous la forme olographe puisse

s'avérer la meilleure solution en cas d'urgence ou de façon temporaire, il est préférable de consulter un notaire ou de se procurer un formulaire de l'Autotestament adapté à ses besoins.

Au lecteur qui choisit de faire un testament olographe, nous suggérons fortement de suivre les indications du présent chapitre et de celui intitulé «Quoi mettre dans un testament?».

Il ne reste plus maintenant qu'à assurer la conservation du testament. S'il est notarié, il n'y aura alors aucun problème. S'il est fait sous la forme olographe ou sous la forme anglaise, c'est au testateur de placer l'original dans un endroit sûr; nous vous référons à ce sujet au chapitre 13 intitulé «L'enregistrement du testament et les registres testamentaires».

24.

Anecdotes et faits vécus

Que justice soit faite!

Une dame rédigea ainsi son testament olographe:

«Je donne ce qui m'appartient à mes deux enfants X et Y et la paix à mon mari. Adieu. J'espère que cette fois-ci tu es content d'avoir ce que tu désires, être seul.»

Les seuls commentaires que nous puissions faire, c'est qu'il s'agit d'une façon pour le moins originale d'avoir le dernier mot dans une discussion! La loi défend à tout citoyen de se faire justice lui-même mais un testateur, lui, peut décider de régler une situation de la façon qu'il considère la plus juste.

Les biens meubles et immeubles

Le Code civil stipule qu'un immeuble est un terrain, parce qu'on ne peut pas le déplacer. Tout ce qui n'est pas immeuble est meuble. Comme simplicité, on ne peut pas demander mieux! Lorsque nous disons meubles de maison dans le sens de mobilier, il s'agit d'une catégorie de biens meubles. Un cheval et sa voiture, de l'argent en banque, une police d'assurance-vie, une automobile, un mobilier de maison sont des biens meubles, c'est-à-dire qu'on peut les déplacer. Ce rappel était nécessaire pour comprendre le prochain exemple.

Une autre dame fait son testament olographe en disant entre autres.

> «Je lègue à mon fils X tous mes biens... je demande à mon fils d'être un bon chrétien et honnête et de toujours donner le bon exemple à ses deux fils; de ne jamais oublier sa maman et de prier pour elle, s'il en est encore capable.»

Or, le fils en question s'était marié à Ottawa sans contrat de mariage alors qu'il avait son domicile dans la province de Québec. Deux enfants étaient nés de ce mariage. Durant les six années précédant le décès de sa mère, ce fils s'était désintéressé de son mariage et ne vivait plus avec son épouse. Aucune procédure quelconque en séparation de corps n'avait été instituée par aucun des deux conjoints.

En vertu de la loi, ils étaient donc tous deux mariés sous le régime de la communauté légale de biens. Dans un tel cas, la loi (article 1272 du Code civil) stipule que tous les biens meubles acquis durant un mariage par succession, legs ou donation, font partie de la communauté de biens à moins que le testateur n'ait exprimé la volonté contraire.

La succession de la mère se composait de quelque 69 000 $ en immeubles et de quelque 173 000 $ en biens mobiliers composés presque exclusivement d'argent en banque et d'obligations. Comme la testatrice n'avait rien spécifié, tous ces biens mobiliers sont tombés dans la communauté de biens qui existait entre le fils et son épouse. Cette dernière a donc récolté ses 50 pour 100, soit quelque 86 500 $.

Ne connaissant pas la loi, cette testatrice n'avait pas dit qu'elle léguait ses biens «en propre», ce qui aurait signifié qu'elle donnait ses biens à son fils uniquement et non à son fils et à sa bru. Quelle était alors l'intention réelle de la testatrice? Personne ne le saura jamais; mais ce que l'on sait, c'est que le fils n'était pas content alors que la bru, elle, semblait satisfaite de cet article du Code civil.

Les témoins bien intentionnés

Deux couples d'amis décident d'un commun accord de prendre rendez-vous avec les représentants d'une compagnie de fiducie pour faire préparer leurs testaments, créer des substitutions et des usufruits, etc. La compagnie de fiducie en question prépare les quatre testaments, d'ailleurs très bien faits, sous la forme anglaise, et les remet à ses clients en leur disant de signer ces documents devant deux témoins. Le tout reste longtemps entre les mains des testateurs en puissance jusqu'au moment où les deux couples se rencontrent pour une soirée de bon voisinage et en profitent pour signer leurs testaments. Les quatre testateurs signent leurs testaments et chaque couple signe les testaments de leurs amis.

Le hic de l'affaire, c'est que la loi stipule clairement qu'un époux ne peut pas être témoin d'un testament avec son épouse. Un des deux peut être témoin mais pas les deux à la fois. Donc, les quatre testaments sont nuls et voilà quatre citoyens de bonne foi sans testament. Ils étaient pourtant bien certains d'avoir réglé leurs problèmes testamentaires une fois pour toutes!

C'est réellement déplorable, mais ces braves types pourtant très instruits (l'un était pharmacien et l'autre comptable agréé) ne possédaient tout simplement pas la formation juridique adéquate pour faire un testament eux-mêmes. Les testaments furent refaits et, heureusement, ces erreurs n'eurent pas de conséquences graves.

Une question de sang-froid

Un bon citoyen témoignait à la Cour dans une cause de contestation de testament. Il n'était pas instruit et travaillait dans la boucherie de son père depuis sa tendre enfance. Son père lui avait justement donné le commerce par testament et les autres enfants prétendaient que leur père n'avait pas vraiment eu l'intention de les exclure, eux, du testament.

Il est d'usage pour un avocat de tenter de faire perdre contenance à un témoin: une personne en colère peut prononcer des paroles qui dépassent sa pensée. De toute façon, notre brave témoin n'était pas des plus nerveux et il en avait vu bien d'autres avant ce témoignage.

À un moment donné, l'avocat lui dit: «Je crois que vous êtes boucher, vous?» «Oui», de répondre le témoin. «Cela paraît!» lui réplique l'avocat. «Vous, vous êtes avocat?» de reprendre aussitôt notre boucher: «Oui», répond ce dernier. «Ça paraît pas!» lui relance le témoin.

Sain de corps et d'esprit

Il y a quelque temps, disons anciennement, les testaments authentiques étaient plus solennels que ceux d'aujourd'hui et il était d'usage que le notaire commence le testament dans les termes suivants:

> «A comparu monsieur UNTEL, lequel étant sain de corps et d'esprit a fait son testament dans les termes suivants...»

Notre brave Baptiste a décidé que lui aussi était sain de corps et d'esprit et qu'il était parfaitement capable de faire son testament lui-même sous la forme olographe, entièrement de sa main.

Il écrit alors:

«Moi, Baptiste, étant sain de corps et d'esprit, j'ai décidé de dépenser tout mon argent moi-même et de ne rien laisser à personne.»

Legs particulier original

Voici une jeune fille d'autrefois, très prude, qui n'était pas du tout d'accord avec le genre de vie que sa jeune soeur menait... Elle lui faisait des remontrances et se plaignait à toute la famille de l'embarras que lui causait pareil libertinage.

À sa grande surprise, elle reçut en legs particulier de cette soeur décédée subitement, le «livre noir» où cette dernière conservait les noms et adresses de ses admirateurs.

On raconte que six mois plus tard, elle ne disait plus que du bien de sa soeur défunte.

Le chien est le meilleur ami de l'homme!

Dans un testament authentique, le notaire se doit de rédiger le plus clairement possible les volontés du testateur. Un testateur donna la somme de 5 000 $ à un de ses amis pour qu'il s'occupe de son chien. L'histoire ne dit pas ce que le chien en a pensé, mais le légataire s'est effectivement occupé de trouver un foyer pour le chien et a gardé l'argent pour s'être acquitté de sa tâche!

Un testateur astucieux

Un vieil oncle laisse courir, dans sa famille et son entourage, la rumeur qu'il est riche. Il rencontre un de ses neveux pour lui confier sous le sceau du secret qu'il a fait un testament, qu'il l'a nommé son exécuteur testamentaire et que pour le récompenser il lui donne son immeuble qui comprend quelque 200 logements. Quant à ses propriétés de Floride, ses comptes en banque et ses autres biens, il les distribue entre les autres neveux et nièces. Quelle belle vie le type fait le restant de ses jours! Il est traité aux petits soins par ses neveux et nièces...

Lorsque le vieil oncle célibataire meurt, tout ce beau monde se rend compte que le vieil oncle ne possédait aucun bien. Imaginez le désarroi…

Il ne faut pas vendre la peau de l'ours…

Un veuf de soixante-dix ans vivait avec son amie. Il avait des enfants. Un jour, terrassé par une crise cardiaque, il est transporté d'urgence à l'hôpital où il séjourne assez longtemps. L'amie en question, héritière, et ses enfants, eux aussi héritiers, auraient, semble-t-il, décidé que notre brave type était fini et que ce n'était plus qu'une question d'heures.

Pourtant, revenu à la santé grâce à un de ces miracles de la médecine moderne, il se rend compte à son retour à la maison qu'on avait commencé à régler sa succession, qu'on avait fait la lecture de son testament et pris connaissance de tous ses papiers personnels. Hors de lui, il recommence son testament pour déshériter tout ce beau monde sauf un de ses fils à qui il a légué tous ses biens parce que ce dernier s'était mêlé de ses affaires.

Les intruses

Voici le texte du testament olographe d'une dame philosophe:

> «Cher époux, je sais que tu as couraillé tout le temps de notre mariage, mais je te pardonne parce que tu ne pouvais pas t'en empêcher. Je te laisse maintenant la totale liberté d'avoir toutes les blondes que tu voudras, mais pour leur payer leurs «petits cadeaux», tu devras quêter ton argent à tes enfants car je leur donne tout ce que je possède.»

Le sens des affaires

C'est l'histoire d'une femme qui était «capitaine à bord», bonne mère de famille autoritaire, patronne, qui avait l'esprit de décision comme elle disait elle-même, et qui racontait à tous ceux qui voulaient l'entendre que c'était bien malheureux pour son époux, mais il n'avait jamais su mener son commerce de marchand général de façon adéquate. Il l'avait perdu par sa faute, disait-elle.

En fait, elle déclarait qu'elle avait fait ses papiers et que son époux n'était pas parmi ses héritiers; elle n'allait tout de même pas léguer son argent à quelqu'un qui était incapable de l'administrer avec bon sens. Quand je serai morte, clamait-elle à tout vent, vous verrez bien comme je me serai fait justice moi-même. De toute façon, lui, c'était le «bon diable» qui ne disait jamais rien.

Le ciel en a décidé autrement. C'est l'époux qui est mort le premier! On a alors trouvé son testament olographe fait dans les termes suivants:

> «Je recommande mon âme à Dieu et en même temps celle de mon épouse et le prie de lui faire miséricorde. Durant toute ma vie, ma chère X, tu as toujours dit que tu avais le sens des affaires, que je n'avais aucune qualité pour administrer mon commerce, tu as toujours voulu tout faire seule. J'étais bien obligé de te laisser faire car je ne pesais que cent livres et toi deux cent cinquante. Tu as toujours voulu administrer mon commerce; le résultat: j'ai dû prendre ma retraite dix ans trop tôt.
> Voici donc mes dernières volontés: je déshérite mon épouse parce qu'elle ne connaît rien dans les affaires et je donne tous mes biens à mes enfants en parts égales.»

La chicane

«Ceci est mon testament:

Je laisse et lègue tous mes biens meubles et immeubles selon la loi à mes héritiers légaux tout comme si je ne faisais pas de testament. Vu le fait que mes enfants et mon épouse se cherchent toujours chicane entre eux, ils continueront ainsi ce mauvais manège pendant que moi j'aurai la paix.»

Testament simpliste

«Je laisse mon âme à Dieu, mon corps à la science et tous mes biens à ceux qui en ont besoin.»

Certes, on peut trouver des situations cocasses dans les testaments et certains testateurs y font preuve d'ironie ou d'un véritable sens de l'humour. Mais il n'en demeure pas moins que le testament est un acte sérieux avec lequel il n'y a pas lieu de blaguer.

25.

En résumé...

Le présent chapitre est un résumé qui vous apporte les points essentiels à votre bonne compréhension.

1. **Héritiers légaux.** Les héritiers légaux sont les personnes légalement en droit d'hériter de vos biens, soit en vertu d'un testament, soit en vertu de la loi, d'où le terme «vos ayants droit».
2. **Chacun son testament!** Il ne faut jamais faire deux testaments dans le même document. Le seul fait que deux individus signent le même document à titre de testament conjoint annule le tout.
3. **Choix du notaire.** Vous pourriez faire composer votre testament par un notaire et le faire recevoir par un autre de votre choix qui demeurerait plus près de votre résidence.
4. **Ne détaillez pas vos biens.** Cela ne veut pas dire de ne pas les identifier correctement, mais, par exemple, si vous voulez donner tous vos biens à une personne, écrivez simplement: «Je donne tous mes biens.» Le mot «tous» dit ce qu'il veut dire.
5. **Identification des biens.** Vous identifiez vos biens

seulement dans le cas où vous faites des legs particuliers. Par exemple, si vous donnez une maison à un héritier, plus cette maison sera identifiée avec précision, mieux ce sera (adresse civique et numéro de cadastre).

6. **Résidu des biens.** Ceci est important car il peut éviter des ennuis. Après avoir énuméré les dons que vous faites à différentes personnes, il faut toujours nommer une personne à qui vous laisserez le résidu de vos biens. Même si vous êtes certain de pouvoir énumérer tous vos biens dans votre testament, prenez toujours un des héritiers (peut-être celui à qui vous donnez le plus) et, sans préciser ce que vous lui donnez, écrivez simplement: «Je donne le résidu de tous mes biens à X.»
7. **Totalité des biens en parts égales.** Si vous voulez donner tous vos biens à vos enfants en parts égales, n'écrivez aucun nom. Dites simplement: «Je donne tous mes biens en parts égales à mes enfants au premier degré.» Les mots «premier degré» signifient les enfants nés de vous à l'exclusion de vos petits-enfants. C'est alors vous qui décidez si vous voulez ou non que vos petits-enfants héritent.
8. **Propres.** Il est bon d'indiquer dans votre testament: «Tous les biens seront propres à mes héritiers.» Cela veut dire que, par exemple, si vous donnez quelque chose à votre fils, votre bru n'aura aucun droit sur cet héritage, qu'ils soient mariés sous n'importe quel régime.
9. **Clauses facultatives.** Si vous désirez faire connaître vos volontés relativement à vos funérailles, votre sépulture, les dons d'organes, les messes, tout cela est facile à écrire; dites-le dans vos propres mots, nous ne voyons là aucun risque d'erreur.
10. **Quoi éviter.** Évitez les clauses concernant l'insaisissabilité, l'incessibilité, l'usufruit, les droits d'usage, d'habitation ou de substitution, etc. Nous vous

conseillons fortement de ne pas y toucher à moins d'avoir une bonne expérience légale. Dans ces cas, n'hésitez pas à consulter votre notaire.

11. **Taxes.** Il n'existe plus de taxes (droits) payables sur les successions, ni au fédéral ni au provincial.
12. **Secret.** Pas besoin de dire ce que vous avez écrit dans votre testament, mais dites au moins à quelqu'un que vous avez fait un testament. «Il faut s'aider dans la vie!»
13. **Toujours un problème.** Beaucoup de testateurs sont consentants à donner tous leurs biens à leur conjoint mais ils voudraient trouver une clause afin que ce dernier ne puisse à son tour léguer ces mêmes biens à quelqu'un d'autre... Il faut réaliser qu'on ne peut conserver le contrôle de ses biens après son décès lorsque les héritiers en ont pris possession. Il existe des clauses (usufruit, substitution, etc.) qu'un notaire peut écrire pour limiter les héritiers dans la jouissance de leur héritage. Ne vous aventurez pas dans un tel domaine sans l'aide d'un notaire.
14. **Conjoint de fait.** Peu importe le nombre d'années de cohabitation, un individu ne devient jamais conjoint légal tant qu'il n'y a pas mariage. En conséquence, si vous ne faites pas de testament en sa faveur, votre conjoint de fait n'héritera pas.
15. **Tuteur.** Dans un testament, on peut nommer quelqu'un pour administrer les biens des enfants mineurs (exécuteur testamentaire), mais on ne peut pas nommer quelqu'un pour s'occuper de la personne des enfants mineurs (tuteur). On peut cependant en suggérer un.
16. **Lecture du testament.** Un testament notarié doit être lu en entier et à haute voix par le notaire devant le testateur et les deux témoins avant la signature du testament. Le testament sous forme anglaise (deux témoins) n'a pas besoin d'être lu aux témoins lors de la signature du testament.

17. **Signature des témoins.** Lorsque vous faites un testament devant deux témoins, comment demander à quelqu'un d'être témoin sans être gêné ni gêner cette personne? «Ceci est mon testament, voulez-vous être témoin de ma signature, s'il vous plaît?» Si le témoin veut alors lire le testament, laissez-le faire et ne vous inquiétez pas.
18. **Témoins.** Il ne faut jamais prendre comme témoins à un testament le mari et son épouse. Un des deux peut être témoin mais non les deux à la fois sur le même testament. Il ne faut pas non plus prendre un héritier ni un parent (ou allié) d'un héritier.
19. **Individualisme.** Faites votre testament et laissez faire celui du voisin.
20. **Contestabilité.** Plus on est jeune et en santé au moment de faire son testament, moins il sera contestable.
21. **Testament olographe.** Ce testament doit être écrit en entier à la main par le testateur lui-même. Personne d'autre ne doit y écrire quoi que ce soit ni aucune correction.
22. **Règlement de la succession.** On peut faire régler une succession par le notaire de son choix. Il n'est pas nécessaire que ce soit le notaire qui ait reçu le testament.
23. **Interprétation de la loi.** Nous déconseillons fortement à nos lecteurs d'interpréter eux-mêmes la loi sans vérifier auprès d'un spécialiste (notaire ou avocat) l'exactitude de l'interprétation.
24. **Difficultés d'obtenir des renseignements.** Lorsque vous n'obtenez pas les renseignements désirés d'un juriste au sujet de n'importe quelle clause testamentaire, consultez-en un autre. Parfois, celui qui pose la question ne se fait pas comprendre, parfois c'est celui qui y répond... C'est souvent une question de compréhension entre deux individus.

26.

Les bonnes adresses

Que ce soit pour le règlement d'une succession ou pour tout autre renseignement qui peut s'avérer utile, il est indispensable d'avoir à portée de la main la liste des endroits où on peut s'informer. Pour faire une recherche testamentaire, il faut que le testateur soit décédé. Quant aux autres adresses que nous donnons, elles peuvent s'avérer très utiles même avant le décès, ne serait-ce que pour se tenir à jour et planifier et son testament et sa succession.

Recherches de testament et registres testamentaires

Registre central des testaments
La Chambre des Notaires du Québec
630, boul. Dorchester Ouest, suite 1700
Montréal, Qué.
H3B 1T6
Tél.: (514) 879-1793

Registre des testaments
Le Barreau du Québec
445, boul. Saint-Laurent
Montréal, Qué.
H2Y 3T8
Tél.: (514) 866-3901
sans frais: 1-800-361-8495

Registre testamentaire
L'Autotestament Inc.
29, boul. Lévesque Est
Laval, Qué.
H7G 1B3
Tél.: (514) 669-3510

La Régie des rentes du Québec

Bureau général:

Régie des Rentes du Québec
Service aux bénéficiaires
Casier postal 5200
Québec, Qué.
G1K 7S9

On peut téléphoner à:

Québec: (418) 643-5185
Montréal: (514) 873-2433
sans frais: 1-800-463-5185
de l'extérieur du Québec,
avec frais d'interurbain: (418) 643-5185

Autres bureaux:

Chicoutimi	500, rue Racine Est, G7H 1P6	(418) 549-2684
Drummondville	430, rue Saint-Georges, suite 129 (rez-de-chaussée), J2C 4H4	(819) 472-3357

Hull	975, boul. Saint-Joseph, J8Z 1W8	(819) 770-6165
Montréal	1055, boul. Dorchester Est, H2L 4T7	(514) 873-2433
Québec	2525, boul. Laurier, G1V 2L2	(418) 643-5185
Rimouski	92, 2e rue Ouest, G5L 8B3	(418) 722-3526
Rouyn	33, rue Gamble Ouest, J9X 2R3	(819) 762-0941
Sherbrooke	1680, rue King Ouest, J1J 2C9	(819) 569-9575
Trois-Rivières	225 rue des Forges, Place La Mauricie (rez-de-chaussée), G9A 2G7	(819) 378-4519

Le curateur public du Québec

Montréal
800, Square Victoria
Case postale 51, Tour de la Bourse,
Montréal, Qué.
H4Z 1J6
(514) 873-4074

Québec
1001, Route de l'Église, bureau 300,
Sainte-Foy, Qué.
G1V 3V7
(418) 643-4108

Santé et bien-être social Canada

Peut-être avez-vous droit à une rente de conjoint survivant, peut-être avez-vous besoin d'informations concernant le Régime des pensions du Canada, la Sécurité de la vieillesse, le Supplément de revenu garanti ou encore l'Allocation au conjoint.

Il y a trop de bureaux à travers le Québec pour donner ici toutes les adresses et nous nous contenterons de donner les numéros de téléphone.

Chicoutimi	(418) 549-7412	sans frais: 1-800-463-9154
Drummondville	(819) 478-4611	sans frais: 1-800-567-0970
Gatineau	(819) 994-1004	sans frais: 1-800-567-6839
Montréal régional	(514) 283-5750	sans frais: 1-800-361-3755
Québec	(418) 648-3332	sans frais: 1-800-463-5081
Rimouski	(418) 722-3025	sans frais: 1-800-252-9072
Sept-Îles	(418) 962-7116	sans frais: 1-800-252-1724
Sherbrooke	(819) 565-4950	sans frais: 1-800-567-6965
Trois-Rivières	(819) 373-2585	sans frais: 1-800-567-9475
Val-D'or	(819) 825-2867	sans frais: 1-800-567-6460

Permis de distribution des biens entre les héritiers

Tout exécuteur testamentaire ou administrateur d'une succession doit obtenir un permis avant de distribuer les biens entre les héritiers, tant au provincial qu'au fédéral.

Gouvernement provincial

Québec
3800, rue Marly
Sainte-Foy
G1X 4A5
(418) 659-6500

Montréal
3, Complexe Desjardins
C.P. 3000, Succursale Desjardins
Montréal
H5B 1A4
(514) 873-2611

Hull
17, rue Laurier
Hull
J8X 4C1
(819) 770-1768

Jonquière
3950, boul. Harvey
Jonquière
G7X 8L6
(418) 542-3523

Rimouski
337, rue Moreault
Centre administratif
Rimouski
G5L 1P4
(418) 722-3572

Rouyn
180, boul. Rideau
Centre administratif
Rouyn
J9X 1N9
(819) 764-6761

Sept-Îles
456, rue Arnaud
Sept-Îles
G4R 3B1
(418) 968-0203

Sherbrooke
112, rue Wellington Sud
Sherbrooke
J1H 5C7
(819) 563-3034

Toronto
20 Queen Street West
Suite 1004, P.O. Box 13
Toronto, Ontario
M5H 3S3
(416) 977-6060

Trois-Rivières
225, rue Des Forges, 2e étage
Trois-Rivières
G9A 2G7
(819) 379-5360

Gouvernement fédéral

Il faut vous adresser à votre propre bureau de district de Revenu Canada, Impôt. Demandez le «certificat de décharge» pour faire le partage des biens dans une succession. Comme il y a une foule de municipalités au Québec qui possèdent un bureau de Revenu Canada impôt, vous n'avez qu'à consulter votre annuaire téléphonique sous la rubrique du Gouvernement du Canada: REVENU CANADA.

Conclusion

Les gens ne font pas de testament; les statistiques citées au début de ce volume le démontrent clairement. Nous avons cherché les causes et les palliatifs de cette situation pour le moins anormale. Ce n'est pas tellement que les gens ne veulent pas faire de testament, mais ils ne s'en sentent pas capables. On leur a trop dit de ne pas s'aventurer dans ce domaine, de laisser faire les spécialistes.

Le citoyen constate aujourd'hui que tout s'apprend. Cependant, partir d'un extrême (ne rien faire) pour aller à l'autre (tout faire seul) risque d'engendrer des conséquences désastreuses. Procédons alors avec sagesse et circonspection. Le savoir testamentaire, ça se cultive comme toute autre sorte de savoir; ça s'acquiert mais pas d'une façon instantanée.

De nos jours, la tendance est au «faites-le vous-même». Aux premiers temps de la société québécoise, le citoyen était un véritable homme à tout faire: agriculteur, éleveur, constructeur, bûcheron, boucher... Avec le temps, on a assisté à une spécialisation des tâches à un point tel que, jusqu'à dernièrement, on n'avait plus confiance qu'en des «spécialistes». Aujourd'hui pourtant, on est arrivé à un certain équilibre et l'on voit de plus en plus de personnes qui choisissent la méthode du «faites-le vous-même».

Il faut dire que les manufacturiers facilitent grandement la tâche! Avec les nouveaux matériaux et les nouvelles techniques mis à la portée du consommateur moyen, ce dernier réussit assez facilement à se construire un foyer dans son sous-sol, à améliorer sa résidence, à entretenir sa voiture, à faire des travaux de maçonnerie, d'électricité et de plomberie, à confectionner ses vêtements, à cuire son pain, à effectuer divers travaux d'artisanat, etc.

Tout ceci répond à un besoin profond de l'être humain de contempler son oeuvre, le produit de ses mains.

Une autre raison de la popularité du «faites-le vous-même»? Les coûts prohibitifs de la main-d'oeuvre spécialisée. Les membres des professions libérales n'ont pas échappé à ce courant irréversible. Ils appartiennent à la même société de consommation et en subissent les conséquences, d'où le coût élevé de leurs services. Ils ne sont pas épargnés par ce fléau qu'on appelle l'inflation, et ce qui coûtait un certain prix il y a vingt ans coûte aujourd'hui beaucoup plus cher. Tout le monde essaie de se défendre de son mieux contre cette marée inflationniste. Le consommateur moyen est embarqué sur le même bateau et doit lui aussi tenir son «bout de rame»... Et vogue la galère!

De nouveaux services sont nés pour permettre au consommateur moyen de surnager dans tout ce remous de l'économie moderne; à preuve, le «Self-Counsel Series» concernant les testaments et les successions pour l'Ontario et les provinces de l'Ouest, toutes les séries des «Comment faire», des «Comment réussir», des «Comment penser», l'autodivorce, les brochures fournies par les gouvernements pour faire soi-même sa déclaration d'impôt, et maintenant l'AUTOTESTAMENT. Il n'était pas trop tôt.

Le système du «faites-le vous-même» permet à l'individu

de s'émanciper, d'économiser, d'où la popularité des cours dispensés aux adultes dans les domaines les plus divers. L'Autotestament aussi s'intègre dans cette ligne de pensée en fournissant à tout groupe, club ou association les services d'un conférencier pour expliquer comment faire soi-même son testament. L'auditeur en profite alors pour s'informer et se tenir à la fine pointe de l'actualité dans ce domaine.

En ce qui a trait au testament, s'informer devient souvent toute une entreprise! Celui qui étudie le sujet s'aperçoit vite qu'il est dépassé. S'il consulte un professionnel, un spécialiste, il constatera que les coûts freineront quelque peu son goût d'érudition…

Nous voulons mettre le testament à la portée de tous et innover dans l'application d'un principe qui, lui, n'est pas nouveau: tout le monde y gagnera le jour où une grande majorité ou le plus grand nombre possible de citoyens prendront l'habitude très tôt dans leur existence de faire un testament.

Nous voulons sensibiliser le lecteur à la question testamentaire. Si notre livre donne lieu à une ouverture dans ce domaine, nous aurons atteint notre but.

Nous voulons aider le consommateur à faire son testament dans la forme qu'il aura lui-même choisie, une fois qu'il aura été bien renseigné sur les alternatives qui existent.

Cher lecteur, c'est le souhait que nous formulons.

Table des matières

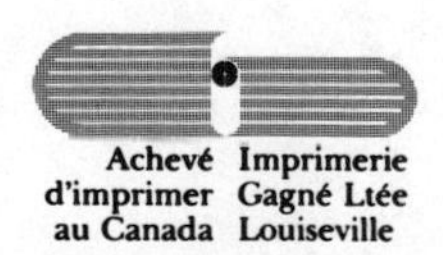
Achevé
d'imprimer
au Canada
Imprimerie
Gagné Ltée
Louiseville

Ouvrages parus chez les éditeurs du groupe Sogides

* Pour l'Amérique du Nord seulement
** Pour l'Europe seulement
Sans * pour l'Europe et l'Amérique du Nord

ANIMAUX

* **Art du dressage, L'**, Chartier Gilles
Bien nourrir son chat, D'Orangeville Christianz
Cheval, Le, Leblanc Michel
Chien dans votre vie, Le, Swan Marguerite
Éducation du chien de 0 à 6 mois, L', DeBuyser Dr Colette et Dr Dehasse Joël
Encyclopédie des oiseaux, Godfrey W. Earl
Guide de l'oiseau de compagnie, Le, Dr R. Dean Axelson
Mammifère de mon pays,, Duchesnay St-Denis J. et Dumais Rolland
* **Mon chat, le soigner, le guérir,** D'Orangeville Christian
Observations sur les mammifères, Provencher Paul
Papillons du Québec, Les,Veilleux Christian et PrévostBernard
Petite ferme, T.1,
Les animaux, Trait Jean-Claude
Vous et vos petits rongeurs, Eylat Martin
Vous et vos poissons d'aquarium, Ganiel Sonia
Vous et votre berger allemand, Eylat Martin
Vous et votre boxer, Herriot Sylvain
Vous et votre caniche, Shira Sav
Vous et votre chat de gouttière, Gadi Sol
Vous et votre chow-chow, Pierre Boistel
Vous et votre collie, Ethier Léon
Vous et votre doberman, Denis Paula
Vous et votre fox-terrier, Eylat Martin
Vous et votre husky, Eylat Marti
Vous et vos oiseaux de compagnie, Huard-Viau Jacqueline
Vous et votre schnauzer, Eylat Martin
Vous et votre setter anglais, Eylat Martin
Vous et votre siamois, Eylat Odette
Vous et votre teckel, Boistel Pierre
Vous et votre yorkshire, Larochelle Sandra

ARTISANAT/ARTS MÉNAGER

Appareils électro-ménagers, Prentice-Hall du Canada
* **Art du pliage du papier,** Harbin Robert
Artisanat québécois, T.1, Simard Cyril
Artisanat québécois, T.2, Simard Cyril
Artisanat québécois, T.3, Simard Cyril
Artisanat québécois, T.4, Simard Cyril, Bouchard Jean-Louis

Bon Fignolage, Le, Arvisais Dolorès A.
Coffret artisanat, Simard Cyril
* **Construire des cabanes d'oiseaux,** Dion André
Construire sa maison en bois rustique, Mann D. et Skinulis R.
Crochet Jacquard, Le, Thérien Brigitte
Cuir, Le, Saint-Hilaire Louis et Vogt Walter
Dentelle, T.1, La, De Seve Andrée-Anne
Dentelle, T.2, La, De Seve Andrée-Anne
Dessiner et aménager son terrain, Prentice-Hall du Canada
Encyclopédie de la maison québécoise, Lessard Michel
Encyclopédie des antiquités, Lessard Michel
Entretien et réparation de la maison, Prentice-Hall du Canada
Guide du chauffage au bois, Flager Gordon
J'apprends à dessiner, Nassh Joanna
Je décore avec des fleurs, Bassili Mimi
J'isole mieux, Eakes Jon
Mécanique de mon auto, La, Time-Life
Outils manuels, Les, Prentice Hall du Canada
Petits appareils électriques, Prentice-Hall du Canada
Piscines, Barbecues et patio
Taxidermie, La, Labrie Jean
Terre cuite, Fortier Robert
Tissage, Le, Grisé-Allard Jeanne et Galarneau Germaine
Tout sur le macramé, Harvey Virginia L.
Trucs ménagers, Godin Lucille
Vitrail, Le, Bettinger Claude

ART CULINAIRE

À table avec soeur Angèle, Soeur Angèle
Art d'apprêter les restes, L', Lapointe Suzanne
Art de la cuisine chinoise, L', Chan Stella
Art de la table, L', Du Coffre Marguerite
Barbecue, Le, Dard Patrice
Bien manger à bon compte, Gauvin Jocelyne
Boîte à lunch, La, Lambert Lagacé Louise
Brunches & petits déjeuners en fête, Bergeron Yolande
100 recettes de pain faciles à réaliser, Saint-Pierre Angéline
Cheddar, Le, Clubb Angela
Cocktails & punchs au vin, Poister John
Cocktails de Jacques Normand, Normand Jacques
Coffret la cuisine
Confitures, Les, Godard Misette
Congélation de A à Z, La, Hood Joan
Congélation des aliments, Lapointe Suzanne
Conserves, Les, Sansregret Berthe
Cornichons, Ketchups et Marinades, Chesman Andrea
Cuisine au wok, Solomon Charmaine
Cuisine aux micro-ondes 1 et 2 portions, Marchand Marie-Paul
Cuisine chinoise, La, Gervais Lizette
* **Cuisine chinoise traditionnelle, La,** Chen Jean
* **Cuisine créative Campbell, La,** Cie Campbell
Cuisine de Pol Martin, Martin Pol
* **Cuisine du monde entier avec Weight Watchers,** Weight Watchers
Cuisine facile aux micro-ondes, Saint-Amour Pauline
Cuisine joyeuse de soeur Angèle, La, Soeur Angèle
Cuisine micro-ondes, La, Benoît Jehane
Cuisine santé pour les aînés, Hunter Denyse
Cuisiner avec le four à convection, Benoît Jehane
Cuisinez selon le régime Scarsdale, Corlin Judith
Cuisinier chasseur, Le, Hugueney Gérard
Entrées chaudes et froides, Dard Patrice
Faire son pain soi-même, Murray Gill Janice
Faire son vin soi-même, Beaucage André
Fine cuisine aux micro-ondes, La, Dard Patrice
Fondues & flambées de maman Lapointe, Lapointe Suzanne
Fondues, Les, Dard Partice
Menus pour recevoir, Letellier Julien
Muffins, Les, Clubb Angela
Nouvelle cuisine micro-ondes, La, Marchand Marie-Paul et Grenier Nicole
Nouvelle cuisine micro-ondes II, La, Marchand Marie-Paul et Grenier Nicole
Pâtés à toutes les sauces, Les, Lapointe Lucette
Patés et galantines, Dard Patrice
Pâtisserie, La, Bellot Maurice-Marie
Poissons et fruits de mer, Dard Patrice
Poissons et fruits de mer, Sansregret Berthe
Recettes au blender, Huot Juliette
Recettes canadiennes de Laura Secord, Canadian Home Economics Association
Recettes de gibier, Lapointe Suzanne
Recettes de maman Lapointe, Les, Lapointe Suzanne
Recettes Molson, Beaulieu Marcel
Robot culinaire, le, Martin Pol
Salades des 4 saisons et leurs vinaigrettes, Dard Patrice
Salades, sandwichs, hors d'oeuvre, Martin Pol
Soupes, potages et veloutés, Dard Patrice

BIOGRAPHIES POPULAIRES

Daniel Johnson, T.1, Godin Pierre
Daniel Johnson, T.2, Godin Pierre
Daniel Johnson - Coffret, Godin Pierre
Dans la fosse aux lions, Chrétien Jean
* **Dans la tempête,** Lachance Micheline
Duplessis, T.1 - L'ascension, Black Conrad
Duplessis, T.2 - Le pouvoir, Black Conrad
Duplessis - Coffret, Black Conrad
Dynastie des Bronfman, La, Newman Peter C.
Establishment canadien, L', Newman Peter C.
* **Maître de l'orchestre, Le,** Nicholson Georges
Maurice Richard, Pellerin Jean
Mulroney, Macdonald L.I.
Nouveaux Riches, Les, Newman Peter C.
Prince de l'Église, Le, Lachance Micheline
Saga des Molson, La, Woods Shirley
* **Une femme au sommet - Son excellence Jeanne Sauvé,** Woods Shirley E.

DIÉTÉTIQUE

Combler ses besoins en calcium, Hunter Denyse
Contrôlez votre poids, Ostiguy Dr Jean-Paul
* **Cuisine sage,** Lambert-Lagacé Louise
* **Diète rotation, La,** Katahn Dr Martin
Diététique dans la vie quotidienne, Lambert-Lagacé Louise
Livre des vitamines, Le, Mervyn Leonard
* **Maigrir en santé,** Hunter Denyse
* **Menu de santé,** Lambert-Lagacé Louise
Oubliez vos allergies, et... bon appétit, Association de l'information sur les allergies
Petite & grande cuisine végétarienne, Bédard Manon
* **Plan d'attaque Weight Watchers, Le,** Nidetch Jean
Plan d'attaque plus Weight Watchers, Le, Nidetch Jean
Recettes pour aider à maigrir, Ostiguy Dr Jean-Paul
* **Régimes pour maigrir,** Beaudoin Marie-Josée
Sage bouffe de 2 à 6 ans, La, Lambert-Lagacé Louise
Weight Watchers - cuisine rapide et savoureuse, Weight Watchers
Weight Watchers-Agenda 85 -Français, Weight Watchers
Weight Watchers-Agenda 85 -Anglais, Weight Watchers

DIVERS

* **Acheter ou vendre sa maison,** Brisebois Lucille
* **Acheter et vendre sa maison ou son condominium,** Brisebois Lucille
* **Acheter une franchise,** Levasseur Pierre
* **Bourse, La,** Brown Mark
* **Chaînes stéréophoniques, Les,** Poirier Gilles
* **Choix de carrières, T.1,** Milot Guy
* **Choix de carrières, T.2,** Milot Guy
* **Choix de carrières, T.3,** Milot Guy
* **Comment rédiger son curriculum vitae,** Brazeau Julie
* **Comprendre le marketing,** Levasseur Pierre
Conseils aux inventeurs, Robic Raymond
* **Devenir exportateur,** Levasseur Pierre
* **Dictionnaire économique et financier,** Lafond Eugène
* **Faire son testament soi-même,** Me Poirier Gérald, Lescault Nadeau Martine (notaire)
* **Faites fructifier votre argent,** Zimmer Henri B.
Finances, Les, Hutzler Laurie H.
* **Gérer ses ressources humaines,** Levasseur Pierre
* **Gestionnaire, Le,** Colwell Marian
* **Guide de la haute-fidélité, Le,** Prin Michel
* **Je cherche un emploi,** Brazeau Julie
* **Lancer son entreprise,** Levasseur Pierre
Leadership, Le, Cribbin, James J.
Livre de l'étiquette, Le, Du Coffre Marguerite
* **Loi et vos droits, La,** Marchand Me Paul-Émile
Meeting, Le, Holland Gary
Mémo, Le, Reimold Cheryl
Notre mariage (étiquette et planification), Du Coffre, Marguerite
Patron, Le, Reimold Cheryl
Relations publiques, Les, Doin Richard, Lamarre Daniel
* **Règles d'or de la vente, Les,** Kahn George N.
* **Roulez sans vous faire rouler, T.3,** Edmonston Philippe
Savoir vivre aujourd'hui, Fortin Jacques Marcelle
Séjour dans les auberges du Québec, Cazelais Normand et Coulon Jacques
Stratégies de placements, Nadeau Nicole
Temps des fêtes au Québec, Le, Montpetit Raymond
Tenir maison, Gaudet-Smet Françoise
* **Tout ce que vous devez savoir sur le condominium,** Dubois Robert
Univers de l'astronomie, L', Tocquet Robert
Vente, La, Hopkins Tom
* **Votre argent,** Dubois Robert
Votre système vidéo, Boisvert Michel et Lafrance André A.
* **Week-end à New York,** Tavernier-Cartier Lise

ENFANCE

* **Aider son enfant en maternelle,** Pedneault-Pontbriand Louise
* **Aider votre enfant à lire et à écrire,** Doyon-Richard Louise
Alimentation futures mamans, Gougeon Réjeanne et Sekely Trude
Années clés de mon enfant, Les, Caplan Frank et Theresa
Art de l'allaitement maternel, L', Ligue internationale La Leche
* **Autorité des parents dans la famille,** Rosemond John K.
Avoir des enfants après 35 ans, Robert Isabelle
Bientôt maman, Whalley J., Simkin P. et Keppler A.
Comment amuser nos enfants, Stanké Louis
* **Comment nourrir son enfant,** Lambert-Lagacé Louise
Deuxième année de mon enfant, La, Caplan Frank et Theresa
* **Développement psychomoteur du bébé,** Calvet Didier
Douze premiers mois de mon enfant, Les, Caplan Frank
* **En attendant notre enfant,** Pratte-Marchessault Yvette
* **Encyclopédie de la santé de l'enfant** Feinbloom Richard
Enfant stressé, L', Elkind David
Enfant unique, L', Peck Ellen
Évoluer avec ses enfants, Gagné Pierre Paul
Femme enceinte, La, Bradley Robert A.
Fille ou garçon, Langendoen Sally et Proctor William
* **Frères-soeurs,** Mcdermott Dr. John F. Jr.
Futur Père, Pratte-Marchessault Yvette
Jouons avec les lettres, Doyon-Richard Louise
Langage de votre enfant, Le, Langevin Claude
Maman et son nouveau-né, La, Sekely Trude
Manuel Johnson et Johnson des premiers soins, Le, Dr Rosenberg Stephen N.
Massage des bébés, Le, Auckette Amédia D.
Merveilleuse histoire de la naissance, La, Gendron Dr Lionel
Mon enfant naîtra-t-il en bonne santé? Scher Jonathan et Dix Carol
Pour bébé, le sein ou le biberon? Pratte-Marchessault Yvette
Pour vous future maman, Sekely Trude
Préparez votre enfant à l'école, Doyon-Richard Louise
Psychologie de l'enfant, Cholette-Pérusse Françoise
Respirations et positions d'accouchement, Dussault Joanne
Soins de la première année de bébé, Kelly Paula
Tout se joue avant la maternelle, Ibuka Masaru
Un enfant naît dans la chambre de naissance, Fortin Nolin Louise
Viens jouer, Villeneuve Michel José
Vivez sereinement votre maternité, Vellay Dr Pierre
Vivre une grossesse sans risque, Fried Dr Peter A.

ÉSOTÉRISME

Coffret - Passé - Présent - Avenir
Graphologie, La, Santoy Claude
Hypnotisme, L', Manolesco Jean
Lire dans les lignes de la main, Morin Michel
Prévisions astrologiques 1985, Hirsig Huguette
Vos rêves sont des miroirs, Cayla Henri
* **Votre avenir par les cartes,** Stanké Louis

HISTOIRE

Arrivants, Les, Collectif
* **Civilisation chinoise, La,** Guay Michel

INFORMATIQUE

* **Découvrir son ordinateur personnel,** Faguy François
Guide d'achat des micro-ordinateurs, Le, Blanc Pierre
Informatique, L', Cone E. Paul

PHOTOGRAPHIE (ÉQUIPEMENT ET TECHNIQUE)

* **Apprenez la photographie avec Antoine Desilets,** Desilets Antoine
Chasse photographique, Coiteux Louis
8/Super 8/16, Lafrance André
Initiation à la Photographie, London Barbara
Initiation à la Photographie-Canon, London Barbara
Initiation à la Photographie-Minolta, London Barbara
Initiation à la Photographie-Nikon, London Barbara
Initiation à la Photographie-Olympus, London Barbara
Initiation à la Photographie-Pentax, London Barbara
* **Je développe mes photos,** Desilets Antoine
* **Je prends des photos,** Desilets Antoine
* **Photo à la portée de tous,** Desilets Antoine
Photo guide, Desilets Antoine

PSYCHOLOGIE

Âge démasqué, L', De Ravinel Hubert
* **Aider mon patron à m'aider,** Houde Eugène
* **Amour de l'exigence à la préférence,** Auger Lucien
Au-delà de l'intelligence humaine, Pouliot Élise
Auto-développement, L', Garneau Jean
Bonheur au travail, Le, Houde Eugène
Bonheur possible, Le, Blondin Robert
Chimie de l'amour, La, Liebowitz Michael
Coeur à l'ouvrage, Le, Lefebvre Gérald
Coffret psychologie moderne Colère, La, Tavris Carol
* **Comment animer un groupe,** Office Catéchèsse
* **Comment avoir des enfants heureux,** Azerrad Jacob
* **Comment déborder d'énergie,** Simard Jean-Paul
Comment vaincre la gêne, Catta Rene-Salvator
* **Communication dans le couple, La,** Granger Luc
* **Communication et épanouissement personnel,** Auger Lucien
Comprendre la névrose et aider les névrosés, Ellis Albert
* **Contact,** Zunin Nathalie
* **Courage de vivre, Le,** Kiev Docteur A.
Courage et discipline au travail, Houde Eugène
Dynamique des groupes, Aubry J.-M. et Saint-Arnaud Y.
Élever des enfants sans perdre la boule, Auger Lucien
Émotivité et efficacité au travail, Houde Eugène
Enfant paraît... et le couple demeure, L', Dorman Marsha et Klein Diane
Enfants de l'autre, Les, Paris Erna
Être soi-même, Corkille Briggs D.
Facteur chance, Le, Gunther Max
Fantasmes créateurs, Les, Singer Jérôme
Infidélité, L', Leigh Wendy
Intuition, L', Goldberg Philip
J'aime, Saint-Arnaud Yves
Journal intime intensif, Progoff Ira
Miracle de l'amour, Un, Kaufman Barry Neil
* **Mise en forme psychologique,** Corrière Richard
* **Parle-moi... J'ai des choses à te dire,** Salome Jacques
Penser heureux, Auger Lucien
* **Personne humaine, La,** Saint-Arnaud Yves
* **Plaisirs du stress, Les,** Hanson Dr Peter G.
* **Première impression, La,** Kleinke Chris, L.
Prévenir et surmonter la déprime, Auger Lucien
* **Prévoir les belles années de la retraite,** D. Gordon Michael
* **Psychologie dans la vie quotidienne,** Blank Dr Léonard
* **Psychologie de l'amour romantique,** Braden Docteur N.
* **Qui es-tu grand-mère? Et toi grand-père?** Eylat Odette
* **S'affirmer et communiquer,** Beaudry Madeleine
* **S'aider soi-même,** Auger Lucien
* **S'aider soi-même d'avantage,** Auger Lucien
* **S'aimer pour la vie,** Wanderer Dr Zev
* **Savoir organiser, savoir décider,** Lefebvre Gérald
* **Savoir relaxer et combattre le stress,** Jacobson Dr Edmund
* **Se changer,** Mahoney Michael
* **Se comprendre soi-même par des tests,** Collectif
* **Se concentrer pour être heureux,** Simard Jean-Paul
Se connaître soi-même, Artaud Gérard
* **Se contrôler par le biofeedback,** Ligonde Paultre
* **Se créer par la Gestalt,** Zinker Joseph
* **S'entraider,** Limoges Jacques
* **Se guérir de la sottise,** Auger Lucien
Séparation du couple, La, Weiss Robert S.
Sexualité au bureau, La, Horn Patrice
Syndrome prémenstruel, Le, Shreeve Dr Caroline
* **Vaincre ses peurs,** Auger Lucien
Vivre à deux: plaisir ou cauchemar, Duval Jean-Marie
* **Vivre avec sa tête ou avec son coeur,** Auger Lucien
Vivre c'est vendre, Chaput Jean-Marc
* **Vivre jeune,** Waldo Myra
* **Vouloir c'est pouvoir,** Hull Raymond

JARDINAGE

Culture des fleurs, des fruits, Prentice-Hall du Canada
Encyclopédie du jardinier, Perron W.H.
Guide complet du jardinage, Wilson Charles
J'aime les violettes africaines, Davidson Robert
Petite ferme, T. 2 - Jardin potager, Trait Jean-Claude
Plantes d'intérieur, Les, Pouliot Paul
Techniques du jardinage, Les, Pouliot Paul
* **Terrariums, Les,** Kayatta Ken

JEUX/DIVERTISSEMENTS

Améliorons notre bridge, Durand Charles
* **Bridge, Le,** Beaulieu Viviane
Clés du scrabble, Les, Sigal Pierre A.
Collectionner les timbres, Taschereau Yves
* **Dictionnaire des mots croisés, noms communs,** Lasnier Paul
* **Dictionnaire des mots croisés, noms propres,** Piquette Robert
* **Dictionnaire raisonné des mots croisés,** Charron Jacqueline
Finales aux échecs, Les, Santoy Claude
Jeux de société, Stanké Louis
* **Jouons ensemble,** Provost Pierre
Livre des patiences, Le, Bezanovska M. et Kitchevats P.
* **Ouverture aux échecs,** Coudari Camille
Scrabble, Le, Gallez Daniel
Techniques du billard, Morin Pierre

LINGUISTIQUE

* **Anglais par la méthode choc, L',** Morgan Jean-Louis
* **J'apprends l'anglais,** Silicani Gino
Petit dictionnaire du joual, Turenne Auguste
Secrétaire bilingue, La, Lebel Wilfrid

LIVRES PRATIQUES

Bonnes idées de maman Lapointe, Les, Lapointe Lucette
Chasse-taches, Le, Cassimatis Jack
* **Maîtriser son doigté sur un clavier,** Lemire Jean-Paul
* **Se protéger contre le vol,** Kabundi Marcel et Normandeau André
Temps c'est de l'argent, Le, Davenport Rita

MUSIQUE ET CINÉMA

* **Guitare, La,** Collins Peter
Piano sans professeur, Le, Evans Roger
Wolfgang Amadeus Mozart raconté en 50 chefs-d'oeuvre, Roussel Paul

NOTRE TRADITION

Coffret notre tradition Écoles de rang au Québec, Les, Dorion Jacques
Encyclopédie du Québec, T.1, Landry Louis
Encyclopédie du Québec, T.2, Landry Louis
Histoire de la chanson québécoise, L'Herbier Benoît
Maison traditionnelle, La, Lessard Micheline
Moulins à eau de la vallée du Saint-Laurent, Adam Villeneuve
Objets familiers de nos ancêtres, Genet Nicole
* **Sculpture ancienne au Québec, La,** Porter John R. et Bélisle Jean
Vive la compagnie, Daigneault Pierre

ROMANS/ESSAIS

Adieu Québec, Bruneau André
Baie d'Hudson, La, Newman Peter C.
Bien-pensants, Les, Berton Pierre
Bousille et les justes, Gélinas Gratien
Coffret Joey
C.P., Susan Goldenberg
Commettants de Caridad, Les, Thériault Yves
Deux Innocents en Chine Rouge, Hébert Jacques
Dome, Jim Lyon
* **Frères divorcés, Les,** Godin Pierre
IBM, Sobel Robert
Insolences du Frère Untel, Les, Untel Frère
ITT, Sobel Robert
J'parle tout seul, Coderre Emile
Lamia, Thyraud de Vosjoli P.L.
Mensonge amoureux, Le, Blondin Robert
Nadia, Aubin Benoît
Oui, Lévesque René
Premiers sur la lune, Armstrong Neil
* **Sur les ailes du temps (Air Canada),** Smith Philip
Telle est ma position, Mulroney Brian
Terrosisme québécois, Le, Morf Gustave
* **Trois semaines dans le hall du Sénat,** Hébert Jacques
Un doux équilibre, King Annabelle
* **Un second souffle,** Hébert Diane
Vrai visage de Duplessis, Le, Laporte Pierre

SANTÉ ET ESTHÉTIQUE

Allergies, Les, Delorme Dr Pierre
Art de se maquiller, L', Moizé Alain
* **Bien vivre sa ménopause,** Gendron Dr Lionel
Cellulite, La, Ostiguy Dr Jean-Paul
Cellulite, La, Léonard Dr Gérard J.
Être belle pour la vie, Meredith Bronwen
Exercices pour les aînés, Godfrey Dr Charles, Feldman Michael
Face lifting par l'exercice, Le, Runge Senta Maria
Grandir en 100 exercises, Berthelet Pierre
Hystérectomie, L', Alix Suzanne
Médecine esthétique, La, Lanctot Guylaine
Obésité et cellulite, enfin la solution, Léonard Dr Gérard J.
Perdre son ventre en 30 jours H-F, Burstein Nancy et Matthews Roy
Santé, un capital à préserver, Peeters E.G.
Travailler devant un écran, Feeley Dr Helen
Coffret 30 jours
30 jours pour avoir de beaux cheveux, Davis Julie
30 jours pour avoir de beaux ongles, Bozic Patricia
30 jours pour avoir de beaux seins, Larkin Régina
30 jours pour avoir un beau teint, Zizmor Dr Jonathan
30 jours pour cesser de fumer, Holland Gary et Weiss Herman
30 jours pour mieux organiser, Holland Gary
30 jours pour perdre son ventre (homme), Matthews Roy, Burnstein Nancy
30 jours pour redevenir un couple amoureux, Nida Patricia K. et Cooney Kevin
30 jours pour un plus grand épanouissement sexuel, Schneider Alan et Laiken Deidre
* **Vos yeux,** Chartrand Marie et Lepage-Durand Micheline

SEXOLOGIE

Adolescente veut savoir, L', Gendron Lionel
Fais voir, Fleischhaner H.
Guide illustré du plaisir sexuel, Corey Dr Robert E.
Helg, Bender Erich F.
* **Ma sexualité de 0 à 6 ans,** Robert Jocelyne
* **Ma sexualité de 6 à 9 ans,** Robert Jocelyne
* **Ma sexualité de 9 à 12 ans,** Robert Jocelyne
Plaisir partagé, Le, Gary-Bishop Hélène
* **Première expérience sexuelle, La,** Gendron Lionel
* **Sexe au féminin, Le,** Kerr Carmen
* **Sexualité du jeune adolescent,** Gendron Lionel
* **Sexualité dynamique, La,** Lefort Dr Paul
* **Shiatsu et sensualité,** Rioux Yuki

SPORTS

100 trucs de billard, Morin Pierre
Le programme pour être en forme
Apprenez à patiner, Marcotte Gaston
Arc et la chasse, L', Guardon Greg
* **Armes de chasse, Les,** Petit Martinon Charles
* **Badminton, Le,** Corbeil Jean
* **Canadiens de 1910 à nos jours, Les,** Turowetz Allan et Goyens Chrystian
* **Carte et boussole,** Kjellstrom Bjorn
* **Chasse au petit gibier, La,** Paquet Yvon-Louis
Chasse et gibier du Québec, Bergeron Raymond
Chasseurs sachez chasser, Lapierre Lucie
* **Comment se sortir du trou au golf,** Brien Luc
* **Comment vivre dans la nature,** Rivière Bill
* **Corrigez vos défauts au golf,** Bergeron Yves
Curling, Le, Lukowich E.
Devenir gardien de but au hockey, Allair François
Encyclopédie de la chasse au Québec, Leiffet Bernard
Entraînement, poids-haltères, L', Ryan Frank
Exercices à deux, Gregor Carol
Golf au féminin, Le, Bergeron Yves
Grand livre des sports, Le, Le groupe Diagram
Guide complet du judo, Arpin Louis
* **Guide complet du self-defense,** Arpin Louis
Guide d'achat de l'équipement de tennis, Chevalier Richard et Gilbert Yvon
Guide de l'alpinisme, Le, Cappon Massimo
Guide de survie de l'armée américaine
Guide des jeux scouts, Association des scouts
Guide du judo au sol, Arpin Louis
Guide du self-defense, Arpin Louis
Guide du trappeur, Le, Provencher Paul
Hatha yoga, Piuze Suzanne
* **J'apprends à nager,** Lacoursière Réjean
* **Jogging, Le,** Chevalier Richard
Jouez gagnant au golf, Brien Luc
Larry Robinson, le jeu défensif, Robinson Larry
Lutte olympique, La, Sauvé Marcel
* **Manuel de pilotage,** Transport Canada
* **Marathon pour tous,** Anctil Pierre
Maxi-performance, Garfield Charles A. et Bennett Hal Zina
* **Médecine sportive,** Mirkin Dr Gabe
Mon coup de patin, Wild John
Musculation pour tous, Laferrière Serge
Natation de compétition, La, Lacoursière Réjean
Partons en camping, Satterfield Archie et Bauer Eddie
Partons sac au dos, Satterfield Archie et Bauer Eddie
Passes au hockey, Champleau Claude
Pêche à la mouche, La, Marleau Serge
Pêche à la mouche, Vincent Serge-J.
Pêche au Québec, La, Chamberland Michel
* **Planche à voile, La,** Maillefer Gérald
* **Programme XBX,** Aviation Royale du Canada
Provencher, le dernier coureur des bois, Provencher Paul
Racquetball, Corbeil Jean
Racquetball plus, Corbeil Jean
Raquette, La, Osgoode William
* **Rivières et lacs canotables,** Fédération québécoise du canot-camping
* **S'améliorer au tennis,** Chevalier Richard
Secrets du baseball, Les, Raymond Claude
Ski de fond, Le, Roy Benoît
* **Ski de randonnée, Le,** Corbeil Jean
Soccer, Le, Schwartz Georges
Stratégie au hockey, Meagher John W.
Surhommes du sport, Les, Desjardins Maurice
* **Taxidermie, La,** Labrie Jean
Techniques du billard, Morin Pierre
* **Technique du golf,** Brien Luc
Techniques du hockey en URSS, Dyotte Guy
* **Techniques du tennis,** Ellwanger
* **Tennis, Le,** Roch Denis
Tous les secrets de la chasse, Chamberland Michel
Vivre en forêt, Provencher Paul
Voie du guerrier, La, Di Villadorata
Volley-ball, Le, Fédération de volley-ball
Yoga des sphères, Le, Leclerq Bruno

ANIMAUX

Guide du chat et de son maître, Laliberté Robert
Guide du chien et de son maître, Laliberté Robert
Poissons de nos eaux, Melançon Claude

ART CULINAIRE ET DIÉTÉTIQUE

Armoire aux herbes, L', Mary Jean
Breuvages pour diabétiques, Binet Suzanne
Cuisine du jour, La, Pauly Robert
Cuisine sans cholestérol, Boudreau-Pagé
Desserts pour diabétiques, Binet Suzanne
Jus de santé, Les, Brunet Jean-Marc
Mangez ce qui vous chante, Pearson Dr Leo
Mangez, réfléchissez et devenez svelte, Kothkin Leonid
Nutrition de l'athlète, Brunet Jean-Marc
Recettes Soeur Berthe - été, Sansregret soeur Berthe
Recettes Soeur Berthe - printemps, Sansregret soeur Berthe

ARTISANAT/ARTS MÉNAGERS

Diagrammes de courtepointes, Faucher Lucille
Douze cents nouveaux trucs, Grisé-Allard Jeanne
Encore des trucs, Grisé-Allard Jeanne
Mille trucs madame, Grisé-Allard Jeanne
Toujours des trucs, Grisé-Allard Jeanne

DIVERS

Administrateur de la prise de décision, Filiatreault P. et Perreault Y.G.
Administration, développement, Laflamme Marcel
Assemblées délibérantes, Béland Claude
Assoiffés du crédit, Les, Féd. des A.C.E.F.
Baie James, La, Bourassa Robert
Bien s'assurer, Boudreault Carole
Cent ans d'injustice, Hertel François
Ces mains qui vous racontent, Boucher André-Pierre
550 métiers et professions, Charneux Helmy
Coopératives d'habitation, Les, Leduc Murielle
Dangers de l'énergie nucléaire, Les, Brunet Jean-Marc
Dis papa c'est encore loin, Corpatnauy Francis
Dossier pollution, Chaput Marcel
Énergie aujourd'hui et demain, De Martigny François
Entreprise et le marketing, L', Brousseau
Forts de l'Outaouais, Les, Dunn Guillaume
Grève de l'amiante, La, Trudeau Pierre
Hiérarchie ethnique dans la grande entreprise, Rainville Jean
Impossible Québec, Brillant Jacques
Initiation au coopératisme, Béland Claude
Julius Caesar, Roux Jean-Louis
Lapokalipso, Duguay Raoul

Lune de trop, Une, Gagnon Alphonse
Manifeste de l'Infonie, Duguay Raoul
Mouvement coopératif québécois, Deschêne Gaston
Obscénité et liberté, Hébert Jacques
Philosophie du pouvoir, Blais Martin
Pourquoi le bill 60, Gérin-Lajoie P.
Stratégie et organisation, Desforges Jean et Vianney C.
Trois jours en prison, Hébert Jacques
Vers un monde coopératif, Davidovic Georges
Vivre sur la terre, St-Pierre Hélène
Voyage à Terre-Neuve, De Gébineau comte

ENFANCE

Aidez votre enfant à choisir, Simon Dr Sydney B.
Deux caresses par jour, Minden Harold
Être mère, Bombeck Erma
Parents efficaces, Gordon Thomas
Parents gagnants, Nicholson Luree
Psychologie de l'adolescent, Pérusse-Cholette Françoise
1500 prénoms et significations, Grisé Allard J.

ÉSOTÉRISME

* **Astrologie et la sexualité, L',** Justason Barbara
Astrologie et vous, L', Boucher André-Pierre
* **Astrologie pratique, L',** Reinicke Wolfgang
Faire se carte du ciel, Filbey John
Grand livre de la cartomancie, Le, Von Lentner G.
* **Grand livre des horoscopes chinois, Le,** Lau Theodora
Graphologie, La, Cobbert Anne
* **Horoscope et énergie psychique,** Hamaker-Zondag
Horoscope chinois, Del Sol Paula
Lu dans les cartes, Jones Marthy
* **Pendule et baguette,** Kirchner Georg
* **Pratique du tarot, La,** Thierens E.
Preuves de l'astrologie, Comiré André
Qui êtes-vous? L'astrologie répond, Tiphaine
Synastrie, La, Thornton Penny **Traité d'astrologie,** Hirsig Huguette
Votre destin par les cartes, Dee Nerys

HISTOIRE

Administration en Nouvelle-France, L', Lanctot Gustave
Histoire de Rougemont, Bédard Suzanne
Lutte pour l'information, La, Godin Pierre
Mémoires politiques, Chaloult René
Rébellion de 1837, Saint-Eustache, Globensky Maximillien
Relations des Jésuites T.2
Relations des Jésuites T.3
Relations des Jésuites T.4
Relations des Jésuites T.5

JEUX/DIVERTISSEMENTS

Backgammon, Lesage Denis

LINGUISTIQUE

Des mots et des phrases, T. 1,, Dagenais Gérard
Des mots et des phrases, T. 2, Dagenais Gérard
Joual de Troie, Marcel Jean

NOTRE TRADITION

Ah mes aïeux, Hébert Jacques

Lettre à un Français qui veut émigrer au Québec, Dubuc Carl

OUVRAGES DE RÉFÉRENCE

Petit répertoire des excuses, Le, Charbonneau Christine et Caron Nelson

Règles d'or de la vente, Les, Kahn George N.

PSYCHOLOGIE

* **Adieu,** Halpern Dr Howard
Adieu Tarzan, Frank Helen
* **Agressivité créatrice,** Bach Dr George
Aimer, c'est choisir d'être heureux, Kaufman Barry Neil
* **Aimer son prochain comme soi-même,** Murphy Joseph
* **Anti-stress, L',** Eylat Odette
Arrête! tu m'exaspères, Bach Dr George
Art d'engager la conversation et de se faire des amis, L', Grabor Don
* **Art de convaincre, L',** Ryborz Heinz
* **Art d'être égoïste, L',** Kirschner Joseph
* **Au centre de soi,** Gendlin Dr Eugène
* **Auto-hypnose, L',** Le Cron M. Leslie
Autre femme, L', Sevigny Hélène
Bains Flottants, Les, Hutchison Michael
* **Bien dans sa peau grâce à la technique Alexander,** Stransky Judith
Ces hommes qui ne communiquent pas, Naifeh S. et White S.G.
Ces vérités vont changer votre vie, Murphy Joseph
Chemin infaillible du succès, Le, Stone W. Clément
Clefs de la confiance, Les, Gibb Dr Jack
Comment aimer vivre seul, Shanon Lynn
* **Comment devenir des parents doués,** Lewis David
* **Comment dominer et influencer les autres,** Gabriel H.W.
Comment s'arrêter de fumer, McFarland J. Wayne
* **Comment vaincre la timidité en amour,** Weber Éric
Contacts en or avec votre clientèle, Sapin Gold Carol
* **Contrôle de soi par la relaxation,** Marcotte Claude
* **Couple homosexuel, Le,** McWhirter David P. et Mattison Andres M.
* **Devenir autonome,** St-Armand Yves
* **Dire oui à l'amour,** Buscaglia Léo
* **Ennemis intimes,** Bach Dr George
États d'esprit, Glasser Dr William
Être efficace, Hanot Marc
Être homme, Goldberg Dr Herb
Famille moderne et son avenir, La , Richar Lyn
Gagner le match, Gallwey Timothy
Gestalt, La, Polster Erving
Guide du succès, Le, Hopkins Tom
Harmonie, une poursuite du succès, L' Vincent Raymond
* **Homme au dessert, Un,** Friedman Sonya
Homme en devenir, L', Houston Jean
* **Homme nouveau, L', Bodymind,** Dychtwald Ken
Influence de la couleur, L', Wood Betty
* **Jouer le tout pour le tout,** Frederick Carl
Maigrir sans obsession, Orback Suisie
Maîtriser la douleur, Bogin Meg
Maîtriser son destin, Kirschner Joseph
Manifester son affection, Bach Dr George
* **Mémoire, La,** Loftus Elizabeth
* **Mémoire à tout âge, La,** Dereskey Ladislaus
* **Mère et fille,** Horwick Kathleen
* **Miracle de votre esprit,** Murphy Joseph
* **Négocier entre vaincre et convaincre,** Warschaw Dr Tessa
Nouvelles Relations entre hommes et femmes, Goldberg Herb
* **On n'a rien pour rien,** Vincent Raymond
* **Oracle de votre subconscient, L,** Murphy Joseph
Parapsychologie, La, Ryzl Milan
* **Parlez pour qu'on vous écoute,** Brien Micheline
* **Partenaires,** Bach Dr George
* **Pensée constructive et bon sens,** Vincent Dr Raymond
Personnalité, La, Buscaglia Léo
Personne n'est parfait, Weisinger Dr H.
Pourquoi ne pleures-tu pas?, Yahraes Herbert, McKnew Donald H. Jr., Cytryn Leon
Pourquoi remettre à plus tard? Burka Jane B. et Yuen L. M.
Pouvoir de votre cerveau, Le, Brown Barbara
Prospérité, La, Roy Maurice
* **Psy-jeux,** Masters Robert
* **Puissance de votre subconscient, La,** Murphy Dr Joseph
Reconquête de soi, La, Paupst Dr James C.
* **Réfléchissez et devenez riche,** Hill Napoléon
* **Réussir,** Hanot Marc
Rythmes de votre corps, Les, Weston Lee

S'aimer ou le défi des relations humaines, Buscaglia Léo
Se vider dans la vie et au travail, Pines Ayala M.
* **Secrets de la communication,** Bandler Richard
Sous le masque du succès, Harvey Joan C. et Datz Cynthia
* **Succès par la pensée constructive, Le,** Hill Napoléon
Technostress, Brod Craig
* **Thérapies au féminin, Les,** Brunel Dominique
Tout ce qu'il y a de mieux, Vincent Raymond
Triomphez de vous-même et des autres, Murphy Dr Joseph
Univers de mon subsconscient, L', Dr Ray Vincent
Vaincre la dépression par la volonté et l'action, Marcotte Claude
Vers le succès, Kassoria Dr Irène C.
* **Vieillir en beauté,** Oberleder Muriel
Vivre avec les imperfections de l'autre, Janda Dr Louis H.
* **Vivre c'est vendre,** Chaput Jean-Marc
* **Vivre heureux avec le strict nécessaire,** Kirschner Josef
Votre perception extra sensorielle, Milan Dr Ryzl
Votre talon d'Achille, Bloomfield Dr. Harold

ROMANS/ESSAIS

À la mort de mes 20 ans, Gagnon P.O.
Affrontement, L', Lamoureux Henri
Bois brûlé, Roux Jean-Louis
100 000e exemplaire, Le, Dufresne Jacques
C't'a ton tour Laura Cadieux, Tremblay Michel
Cité dans l'oeuf, La, Tremblay Michel
Coeur de la baleine bleue, Le Poulin Jacques
Coffret petit jour, Martucci Abbé Jean
Colin-Maillard, Hémon Louis
Contes pour buveurs attardés, Tremblay Michel
Contes érotiques indiens, Schwart Herbert
Crise d'octobre, Pelletier Gérard
Cyrille Vaillancourt, Lamarche Jacques
Desjardins Al., Homme au service, Lamarche Jacques
De Z à A, Losique Serge
Deux Millième étage, Le, CarrierRoch
D'Iberville, Pellerin Jean
Dragon d'eau, Le, Holland R.F.
Équilibre instable, L', Deniset Louis
Éternellement vôtre, Péloquin Claude
Femme d'aujourd'hui, La, Landsberg Michele
Femme de demain, Keeton Kathy
Femmes et politique, Cohen Yolande
Filles de joie et filles du roi, Lanctot Gustave
Floralie où es-tu, Carrier Roch
Fou, Le, Châtillon Pierre
Français langue du Québec, Le, Laurin Camille
Hommes forts du Québec, Weider Ben
Il est par là le soleil, Carrier Roch
J'ai le goût de vivre, Delisle Isabelle
J'avais oublié que l'amour, Doré-Joyal Yves
Jean-Paul ou les hasards de la vie, Bellier Marcel
Johnny Bungalow, Villeneuve Paul
Jolis Deuils, Carrier Roch
Lettres d'amour, Champagne Maurice
Louis Riel patriote, Bowsfield Hartwell
Louis Riel un homme à pendre, Osier E.B.
Ma chienne de vie, Labrosse Jean-Guy
Marche du bonheur, La, Gilbert Normand
Mémoires d'un Esquimau, Metayer Maurice
Mon cheval pour un royaume, Poulin J.
Neige et le feu, La, Baillargeon Pierre
N'Tsuk, Thériault Yves
Opération Orchidée, Villon Christiane
Orphelin esclave de notre monde, Labrosse Jean
Oslovik fait la bombe, Oslovik
Parlez-moi d'humour, Hudon Normand
Scandale est nécessaire, Le, Baillargeon Pierre
Vivre en amour, Delisle Lapierre

SANTÉ

Alcool et la nutrition, L', Brunet Jean-Marc
Bruit et la santé, Le, Brunet Jean-Marc
Chaleur peut vous guérir, La, Brunet Jean-Marc
Échec au vieillissement prématuré, Blais J.
Greffe des cheveux vivants, Guy Dr
Guérir votre foie, Jean-Marc Brunet
Information santé, Brunet Jean-Marc
Magie en médecine, Sylva Raymond
Maigrir naturellement, Lauzon Jean-Luc
Mort lente par le sucre, Duruisseau Jean-Paul
40 ans, âge d'or, Taylor Eric
Recettes naturistes pour arthritiques et rhumatisants, Cuillerier Luc
Santé de l'arthritique et du rhumatisant, Labelle Yvan
* **Tao de longue vie, Le,** Soo Chee
Vaincre l'insomnie, Filion Michel,Boisvert Jean-Marie, Melanson Danielle
Vos aliments sont empoisonnés, Leduc Paul

SEXOLOGIE

* **Aimer les hommes pour toutes sortes de bonnes raisons,** Nir Dr Yehuda
* **Apprentissage sexuel au féminin, L',** Kassoria Irene
* **Comment faire l'amour à la même personne pour le reste de votre vie,** O'Connor Dagmar
* **Comment faire l'amour à un homme,** Penney Alexandra
* **Comment faire l'amour ensemble,** Penney Alexandra

Dépression nerveuse et le corps, La, Lowen Dr Alexander
Drogues, Les, Boutot Bruno
* **Femme célibataire et la sexualité, La,** Robert M.
* **Jeux de nuit,** Bruchez Chantal

Magie du sexe, La, Penney Alexandra
* **Massage en profondeur, Le,** Bélair Michel

Massage pour tous, Le, Morand Gilles
Première fois, La, L'Heureux Christine
Rapport sur l'amour et la sexualité, Brecher Edward
Sexualité expliquée aux adolescents, La, Boudreau Yves
Sexualité expliquée aux enfants, La, Cholette Pérusse F.

SPORTS

Baseball-Montréal, Leblanc Bertrand
Chasse au Québec, Deyglun Serge
Chasse et gibier du Québec, Guardon Greg
Exercice physique pour tous, Bohemier Guy
Grande forme, Baer Brigitte
Guide des pistes cyclables, Guy Côté
Guide des rivières du Québec, Fédération canot-kayac
Lecture des cartes, Godin Serge
Offensive rouge, L', Boulonne Gérard
Pêche et coopération au Québec, Larocque Paul
Pêche sportive au Québec, Deyglun Serge
Raquette, La, Lortie Gérard
Santé par le yoga, Piuze Suzanne
Saumon, Le, Dubé Jean-Paul
Ski nordique de randonnée, Brady Michael
Technique canadienne de ski, O'Connor Lorne
Truite et la pêche à la mouche, La, Ruel Jeannot
Voile, un jeu d'enfants, La, Brunet Mario

ROMANS/ESSAIS/THÉATRE

Andersen Marguerite,
De mémoire de femme
Aquin Hubert,
Blocs erratiques
Archambault Gilles,
La fleur aux dents
Les pins parasols
Plaisirs de la mélancolie
Atwood Margaret,
Les danseuses et autres nouvelles
La femme comestible
Marquée au corps
Audet Noël,
Ah, L'amour l'amour
Baillie Robert,
La couvade
Des filles de beauté
Barcelo François,
Agénor, Agénor, Agénor et Agénor
Beaudin Beaupré Aline,
L'aventure de Blanche Morti
Beaudry Marguerite,
Tout un été l'hiver
Beaulieu Germaine,
Sortie d'elle(s) mutante

Beaulieu Michel,
Je tourne en rond mais c'est autour de toi
La représentation
Sylvie Stone
Bilodeau Camille,
Une ombre derrière le coeur
Blais Marie-Claire,
L'océan suivi de Murmures
Une liaison parisienne
Bosco Monique,
Charles Lévy M.S.
Schabbat
Bouchard Claude,
La mort après la mort
Brodeur Hélène,
Entre l'aube et le jour
Brossard Nicole,
Armantes
French Kiss
Sold Out
Un livre
Brouillet Chrystine,
Chère voisine
Coup de foudre
Callaghan Barry,
Les livres de Hogg
Cayla Henri,
Le pan-cul
Dahan Andrée,
Le printemps peut attendre
De Lamirande Claire,
Le grand élixir
Dubé Danielle,
Les olives noires
Dessureault Guy,
La maîtresse d'école
Dropaôtt Papartchou,
Salut Bonhomme
Doerkson Margaret, Jazzy
Dubé Marcel,
Un simple soldat
Dussault Jean,
Le corps vêtu de mots
Essai sur l'hindouisme
L'orbe du désir
Pour une civilisation du plaisir
Engel Marian,
L'ours
Fontaine Rachel,
Black Magic
Forest Jean,
L'aube de Suse
Le mur de Berlin P.Q.
Nourrice!... Nourrice!...
Garneau Jacques,
Difficiles lettres d'amour
Gélinas Gratien,
Bousille et les justes
Fridolinades, T.1 (1945-1946)
Fridolinades, T.2 (1943-1944)
Fridolinades, T.3 (1941-1942)
Ti-Coq
Gendron Marc,
Jérémie ou le Bal des pupilles
Gevry Gérard,
L'homme sous vos pieds
L'été sans retour
Godbout Jacques,
Le réformiste
Harel Jean-Pierre,
Silences à voix haute
Hébert François,
Holyoke
Le rendez-vous
Hébert Louis-Philippe,
La manufacture de machines
Manuscrit trouvé dans une valise
Hogue Jacqueline,
Aube
Huot Cécile,
Entretiens avec Omer
Létourneau
Jasmin Claude,
Et puis tout est silence
Laberge Albert,
La scouine
Lafrenière Joseph,
Carolie printemps
L'après-guerre de l'amour
Lalonde Robert,
La belle épouvante
Lamarche Claude,
Confessions d'un enfant d'un demi-siècle
Je me veux
Lapierre René,
Hubert Aquin
Larche Marcel,
So Uk
Larose Jean,
Le mythe de Nelligan
Latour Chrystine,
La dernière chaîne
Le mauvais frère
Le triangle brisé
Tout le portrait de sa mère
Lavigne Nicole,
Le grand rêve de madame Wagner
Lavoie Gaëtan,
Le mensonge de Maillard
Leblanc Louise,
Pop Corn
37 1/2AA

Marchessault Jovette,
La mère des herbes
Marcotte Gilles,
La littérature et le reste
Marteau Robert,
Entre temps
Martel Émile,
Les gants jetés
Martel Pierre,
Y'a pas de métro à Gélude-La-Roche
Monette Madeleine,
Le double suspect
Petites violences
Monfils Nadine,
Laura Colombe, contes
La velue
Ouellette Fernand,
La mort vive
Tu regardais intensément Geneviève
Paquin Carole,
Une esclave bien payée
Paré Paul,
L'improbable autopsie
Pavel Thomas,
Le miroir persan
Poupart Jean-Marie,
Bourru mouillé
Robert Suzanne,
Les trois soeurs de personneVulpera
Robertson Heat,
Beauté tragique
Ross Rolande,
Le long des paupières brunes
Roy Gabrielle,
Fragiles lumières de la terre
Saint-Georges Gérard,
1, place du Québec Paris VIe
Sansfaçon Jean-Robert,
Loft Story
Saurel Pierre,
IXE-13
Savoie Roger,
Le philosophe chat
Svirsky Grigori,
Tragédie polaire, nouvelles
Szucsany Désirée,
La passe
Thériault Yves,
Aaron
Agaguk
Le dompteur d'ours
La fille laide
Les vendeurs du temple
Turgeon Pierre,
Faire sa mort comme faire l'amour
La première personne
Prochainement sur cet écran
Un, deux, trois
Trudel Sylvain,
Le souffle de l'Harmattan
Vigneault Réjean,
Baby-boomers

COLLECTIFS DE NOUVELLES

Fuites et poursuites
Dix contes et nouvelles fantastiques
Dix nouvelles humoristiques
Dix nouvelles de science-fiction québécoise
Aimer
Crever l'écran

LIVRES DE POCHES 10/10

Aquin Hubert,
Blocs erratiques
Brouillet Chrystine,
Chère voisine
Dubé Marcel,
Un simple soldat
Gélinas Gratien,
Bousille et les justes
Ti-Coq
Harvey Jean-Charles,
Les demi-civilisés
Laberge Albert,
La scouine
Thériault Yves,
Aaron
Agaguk
Cul-de-sac
La fille laide
Le dernier havre
Le temps du carcajou
Tayaout

Turgeon Pierre,
Faires sa mort comme faire l'amour
La première personne

NOTRE TRADITION

Aucoin Gérard,
L'oiseau de la vérité
Bergeron Bertrand,
Les barbes-bleues
Deschênes Donald,
C'était la plus jolie des filles
Desjardins Philémon et Gilles Lamontagne,
Le corbeau du mont de la Jeunesse
Dupont Jean-Claude,
Contes de bûcherons
Gauthier Chassé Hélène,
À diable-vent
Laforte Conrad,
Menteries drôles et merveilleuse
Légaré Clément,
La bête à sept têtes
Pierre La Fève

DIVERS

A.S.D.E.Q.,
Québec et ses partenaires
Qui décide au Québec?
Bailey Arthur,
Pour une économie du bon sens
Bergeron Gérard,
Indépendance oui mais
Bowering George,
En eaux trouble
Boissonnault Pierre,
L'hybride abattu
Collectif Clio,
L'histoire des femmes au Québec
Clavel Maurice,
Dieu est Dieu nom de Dieu
Centre des dirigeants d'entreprise,
Relations du travail
Creighton Donald,
Canada - Les débuts
héroïques
De Lamirande Claire,
Papineau
Dupont Pierre,
15 novembre 76
Dupont Pierre et Gisèle Tremblay,
Les syndicats en crise
Fontaine Mario
Tout sur les p'tits journaux z'artistiques
Gagnon G., A. Sicotte et G. Bourrassa,
Tant que le monde s'ouvrira
Gamma groupe,
La société de conservation
Garfinkel Bernie,
Liv Ullmann Ingmar Bergman
Genuist Paul,
La faillite du Canada anglais
Haley Louise,
Le ciel de mon pays, T.1
Le ciel de mon pays, T.2
Harbron John D.,
Le Québec sans le Canada
Hébert Jacques et Maurice F. Strong,
Le grand branle-bas
Matte René,
Nouveau Canada à notre mesure
Monnet François-Mario,
Le défi québécois
Mosher Terry-Ailsin,
L'humour d'Aislin
Pichette Jean,
Guide raisonné des jurons
Powell Robert,
L'esprit libre
Roy Jean,
Montréal ville d'avenir
Sanger Clyde,
Sauver le monde
Schirm François,
Personne ne voudra savoir
Therrien Paul,
Les mémoires de J.E.Bernier

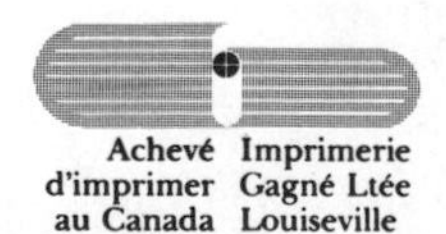

Achevé d'imprimer au Canada
Imprimerie Gagné Ltée Louiseville